La Ferme
des animaux

Première de couverture : Prod DB © Halas and Batchelor / DR.
Deuxième de couverture : [h] Prod DP © TNT / DR ; [b] Conception Réalisation SIKIC-iquse@
sikic.fr-Comédie de la Mandoune-2008.
Troisième de couverture : [h] © FineArtimages / Leemage.com ; [b, g] © Rue des Archives /
Collection Grégoire ; [b, d] © Rue des Archives / Tallandier.

Page 160 : © Charb / DR.
Page 167 : © Art Spiegelman, Maus, t. II.
Page 172 : © leemage.com.
Page 177 : © Roger-Viollet.
Page 186 : © Rue des Archives / René Dazy.

© Eric Blair, 1945 pour le texte.
© Champ Libre, 1981 pour la traduction française.
© Éditions Belin/Éditions Gallimard, 2016 pour le texte, l'introduction, les notes et le dossier
pédagogique.
170 bis, boulevard du Montparnasse, 75680 Paris cedex 14

ISBN 978-2-7011-9674-9
ISSN 1958-0541

CLASSICOCOLLÈGE

La Ferme des animaux

GEORGE ORWELL

**Traduit de l'anglais
par Jean Quéval**

Dossier par Virginie Manouguian
Agrégée de lettres modernes

BELIN ■ GALLIMARD

Sommaire

Arrêt sur l'œuvre

Groupements de textes

Autour de l'œuvre

Vers l'écrit du Brevet

Fenêtres sur...

Des ouvrages à lire, des films à voir,
un site Internet à consulter

Introduction

En 1943, lorsque George Orwell (Eric Blair de son vrai nom), entreprend la rédaction de *La Ferme des animaux*, c'est un journaliste et écrivain connu pour son engagement : il a partagé les conditions de vie des plus démunis à Londres et à Paris, enquêté sur les conditions de travail des ouvriers miniers du nord de l'Angleterre et combattu dans les rangs du POUM (parti d'extrême gauche opposé au général Franco) pendant la guerre civile espagnole.

Achevée en 1944, cette fable animalière n'est publiée qu'en août 1945 car les maisons d'édition la jugent trop provocatrice. Derrière les animaux se cachent, en effet, des personnages historiques réels : les meneurs de la révolution russe de 1917. L'auteur dénonce ainsi l'effondrement des valeurs démocratiques et de l'idéal marxiste sous la dictature de Staline en URSS. Mais, au-delà du régime stalinien, c'est toute forme de totalitarisme et d'oppression que George Orwell condamne, sous couvert d'un récit court, plaisant et où ne cesse de poindre l'ironie.

Le propriétaire de la Ferme du Manoir, Mr. Jones, avait poussé le verrou des poulaillers, mais il était bien trop saoul pour s'être rappelé de rabattre les trappes. S'éclairant de gauche et de droite avec sa lanterne, c'est en titubant qu'il traversa la cour. Il entreprit de se déchausser, donnant du pied contre la porte de la cuisine, tira au tonneau un dernier verre de bière et se hissa dans le lit où était Mrs. Jones, déjà en train de ronfler.

Dès que fut éteinte la lumière de la chambre, ce fut à travers les bâtiments de la ferme un bruissement d'ailes et bientôt tout un remue-ménage. Dans la journée, la rumeur s'était répandue que Sage l'Ancien avait été visité, au cours de la nuit précédente, par un rêve étrange dont il désirait entretenir les autres animaux. Sage l'Ancien était un cochon qui, en son jeune temps, avait été proclamé lauréat[1] de sa catégorie – il avait concouru sous le nom de Beauté de Willingdon[2], mais pour tout le monde il était Sage l'Ancien. Il avait été convenu que tous les animaux se retrouveraient dans la grange dès que Mr. Jones se serait éclipsé. Et Sage l'Ancien était si profondément vénéré que chacun était prêt à prendre sur son sommeil pour savoir ce qu'il avait à dire.

Lui-même avait déjà pris place à l'une des extrémités de la grange, sur une sorte d'estrade (cette estrade était son lit de paille éclairé par une lanterne suspendue à une poutre). Il avait

---

1. Lauréat: premier, gagnant d'un concours.
2. Willingdon: village d'Angleterre.

douze ans, et avec l'âge avait pris de l'embonpoint, mais il en imposait encore, et on lui trouvait un air raisonnable, bienveillant
25 même, malgré ses canines intactes. Bientôt les autres animaux se présentèrent, et ils se mirent à l'aise, chacun suivant les lois de son espèce. Ce furent d'abord le chien Filou et les deux chiennes qui se nommaient Fleur et Constance, et ensuite les cochons qui se vautrèrent sur la paille, face à l'estrade. Les poules
30 allèrent se percher sur des appuis de fenêtres et les pigeons sur les chevrons du toit[1]. Vaches et moutons se placèrent derrière les cochons, et là se prirent à ruminer. Puis deux chevaux de trait[2], Malabar et Douce, firent leur entrée. Ils avancèrent à petits pas précautionneux, posant avec délicatesse leurs nobles sabots
35 sur la paille, de peur qu'une petite bête ou l'autre s'y fût tapie. Douce était une superbe matrone[3] entre deux âges qui, depuis la naissance de son quatrième poulain, n'avait plus retrouvé la silhouette de son jeune temps. Quant à Malabar : une énorme bête, forte comme n'importe quels deux chevaux. Une longue raie
40 blanche lui tombait jusqu'aux naseaux, ce qui lui donnait un air un peu bêta ; et, de fait, Malabar n'était pas génial[4]. Néanmoins, chacun le respectait parce qu'on pouvait compter sur lui et qu'il abattait une besogne fantastique[5]. Vinrent encore Edmée, la chèvre blanche, et Benjamin, l'âne. Benjamin était le plus vieil
45 animal de la ferme et le plus acariâtre[6]. Peu expansif[7], quand il s'exprimait c'était en général par boutades cyniques[8]. Il déclarait, par exemple, que Dieu lui avait bien donné une queue pour

---

1. Chevrons du toit : pièces de bois reposant sur des poutres, qui soutiennent la toiture.
2. Chevaux de trait : chevaux utilisés pour tirer des véhicules (charrue, charrette) ou des matériaux agricoles.
3. Matrone : femme d'âge mûr.
4. Pas génial : pas très intelligent.
5. Abattait une besogne fantastique : accomplissait un travail formidable.
6. Acariâtre : de mauvaise humeur.
7. Expansif : bavard.
8. Boutades cyniques : plaisanteries provocatrices.

chasser les mouches, mais qu'il aurait beaucoup préféré n'avoir
ni queue ni mouches. De tous les animaux de la ferme, il était le
50 seul à ne jamais rire. Quand on lui demandait pourquoi, il disait
qu'il n'y a pas de quoi rire. Pourtant, sans vouloir en convenir, il
était l'ami dévoué de Malabar. Ces deux-là passaient d'habitude
le dimanche ensemble, dans le petit enclos derrière le verger, et
sans un mot broutaient de compagnie.

55 À peine les deux chevaux s'étaient-ils étendus sur la paille qu'une
couvée de canetons, ayant perdu leur mère, firent irruption dans
la grange, et tous ils piaillaient de leur petite voix et s'égaillaient[1]
çà et là, en quête du bon endroit où personne ne leur marcherait
dessus. Douce leur fit un rempart de sa grande jambe, ils s'y
60 blottirent et s'endormirent bientôt. À la dernière minute, une
autre jument, répondant au nom de Lubie (la jolie follette blanche
que Mr. Jones attelle à son cabriolet[2]) se glissa à l'intérieur de la
grange en mâchonnant un sucre. Elle se plaça sur le devant et fit
des mines avec sa crinière blanche enrubannée de rouge. Enfin
65 ce fut la chatte. À sa façon habituelle, elle jeta sur l'assemblée un
regard circulaire, guignant[3] la bonne place chaude. Pour finir,
elle se coula entre Douce et Malabar. Sur quoi elle ronronna de
contentement, et du discours de Sage l'Ancien n'entendit pas
un traître mot.

70 Tous les animaux étaient maintenant au rendez-vous – sauf
Moïse, un corbeau apprivoisé qui sommeillait sur un perchoir,
près de la porte de derrière – et les voyant à l'aise et bien attentifs,
Sage l'Ancien se racla la gorge puis commença en ces termes :

« Camarades, vous avez déjà entendu parler du rêve étrange
75 qui m'est venu la nuit dernière. Mais j'y reviendrai tout à l'heure.
J'ai d'abord quelque chose d'autre à vous dire. Je ne compte pas,
camarades, passer encore de longs mois parmi vous. Mais avant

---

1. S'égaillaient : se dispersaient.
2. Cabriolet : voiture légère montée sur deux roues et tirée par un seul cheval.
3. Guignant : regardant avec envie.

de mourir je voudrais m'acquitter d'un devoir, car je désire vous faire profiter de la sagesse qu'il m'a été donné d'acquérir. Au cours de ma longue existence, j'ai eu, dans le calme de la porcherie, tout loisir de méditer. Je crois être en mesure de l'affirmer : j'ai, sur la nature de la vie en ce monde, autant de lumières que tout autre animal. C'est de quoi je désire vous parler.

Quelle est donc, camarades, la nature de notre existence ? Regardons les choses en face : nous avons une vie de labeur[1], une vie de misère, une vie trop brève. Une fois au monde, il nous est tout juste donné de quoi survivre, et ceux d'entre nous qui ont la force voulue sont astreints[2] au travail jusqu'à ce qu'ils rendent l'âme. Et dans l'instant que nous cessons d'être utiles, voici qu'on nous égorge avec une cruauté inqualifiable. Passée notre première année sur cette terre, il n'y a pas un seul animal qui entrevoie ce que signifient des mots comme loisir ou bonheur. Et quand le malheur l'accable, ou la servitude[3], pas un animal qui soit libre. Telle est la simple vérité.

Et doit-il en être tout uniment ainsi par un décret[4] de la nature ? Notre pays est-il donc si pauvre qu'il ne puisse procurer à ceux qui l'habitent une vie digne et décente ? Non, camarades, mille fois non ! Fertile[5] est le sol de l'Angleterre et propice son climat. Il est possible de nourrir dans l'abondance un nombre d'animaux bien plus considérable que ceux qui vivent ici. Cette ferme à elle seule pourrait pourvoir aux besoins[6] d'une douzaine de chevaux, d'une vingtaine de vaches, de centaines de moutons – tous vivant dans l'aisance une vie honorable. Le hic[7], c'est que nous avons le plus grand mal à imaginer chose pareille. Mais puisque telle

---

1. **Labeur** : travail pénible.
2. **Astreints** : condamnés.
3. **Servitude** : esclavage.
4. **Uniment** : également ; **décret** : décision.
5. **Fertile** : qui produit d'abondantes récoltes.
6. **Pourvoir aux besoins** : satisfaire les besoins.
7. **Hic** : problème.

105 est la triste réalité, pourquoi en sommes-nous toujours à végéter dans un état pitoyable? Parce que tout le produit de notre travail, ou presque, est volé par les humains. Camarades, là se trouve la réponse à nos problèmes. Tout tient en un mot: l'Homme. Car l'Homme est notre seul véritable ennemi. Qu'on le supprime,
110 et voici extirpée la racine du mal. Plus à trimer[1] sans relâche! Plus de meurt-la-faim!

   L'Homme est la seule créature qui consomme sans produire. Il ne donne pas de lait, il ne pond pas d'œufs, il est trop débile[2] pour pousser la charrue, bien trop lent pour attraper un lapin.
115 Pourtant le voici le suzerain[3] de tous les animaux. Il distribue les tâches entre eux, mais ne leur donne en retour que la maigre pitance[4] qui les maintient en vie. Puis il garde pour lui le surplus. Qui laboure le sol? Nous! Qui le féconde? Notre fumier! Et pourtant pas un parmi nous qui n'ait que sa peau pour tout bien.
120 Vous, les vaches là devant moi, combien de centaines d'hectolitres de lait n'avez-vous pas produit l'année dernière? Et qu'est-il advenu de ce lait qui vous aurait permis d'élever vos petits, de leur donner force et vigueur? De chaque goutte l'ennemi s'est délecté et rassasié. Et vous les poules, combien d'œufs n'avez-vous
125 pas pondus cette année-ci? Et combien de ces œufs avez-vous couvés? Tous les autres ont été vendus au marché, pour enrichir Jones et ses gens! Et toi, Douce, où sont les quatre poulains que tu as portés, qui auraient été la consolation de tes vieux jours? Chacun d'eux fut vendu à l'âge d'un an, et plus jamais tu ne les
130 reverras! En échange de tes quatre maternités et du travail aux champs, que t'a-t-on donné? De strictes rations de foin plus un box dans l'étable!

---

1. **Trimer**: travailler durement (familier).
2. **Débile**: faible.
3. **Suzerain**: seigneur.
4. **Pitance**: portion de nourriture.

Et même nos vies misérables s'éteignent avant le terme[1]. Quant
à moi, je n'ai pas de hargne, étant de ceux qui ont eu de la
135 chance. Me voici dans ma treizième année, j'ai eu plus de quatre
cents enfants. Telle est la vie normale chez les cochons, mais à
la fin aucun animal n'échappe au couteau infâme. Vous autres,
jeunes porcelets assis là et qui m'écoutez, dans les douze mois
chacun de vous, sur le point d'être exécuté, hurlera d'atroce
140 souffrance. Et à cette horreur et à cette fin, nous sommes tous
astreints – vaches et cochons, moutons et poules, et personne
n'est exempté[2]. Les chevaux eux-mêmes et les chiens n'ont
pas un sort plus enviable. Toi, Malabar, le jour où tes muscles
fameux n'auront plus leur force ni leur emploi, Jones te vendra
145 à l'équarrisseur[3], et l'équarrisseur te tranchera la gorge; il fera
bouillir tes restes à petit feu, et il en nourrira la meute de ses
chiens. Quant aux chiens eux-mêmes, une fois édentés[4] et hors
d'âge, Jones leur passe une grosse pierre au cou et les noie dans
l'étang le plus proche.

150 Camarades, est-ce que ce n'est pas clair comme de l'eau de
roche? Tous les maux de notre vie sont dus à l'Homme, notre
tyran. Débarrassons-nous de l'Homme, et nôtre sera le produit
de notre travail. C'est presque du jour au lendemain que nous
pourrions devenir libres et riches. À cette fin, que faut-il? Eh
155 bien, travailler de jour et de nuit, corps et âme, à renverser la
race des hommes. C'est là mon message, camarades. Soulevons-
nous! Quand aura lieu le soulèvement, cela je l'ignore: dans une
semaine peut-être ou dans un siècle. Mais, aussi vrai que sous
moi je sens de la paille, tôt ou tard justice sera faite. Ne perdez
160 pas de vue l'objectif, camarades, dans le temps compté qui vous
reste à vivre. Mais avant tout, faites part de mes convictions à

---

1. **Avant le terme**: plus tôt que prévu.
2. **Exempté**: dispensé, épargné.
3. **Équarrisseur**: personne chargée d'abattre, de dépecer et de désosser un animal.
4. **Édentés**: n'ayant plus de dents.

ceux qui viendront après vous, afin que les générations à venir mènent la lutte jusqu'à la victoire finale.

Et souvenez-vous-en, camarades : votre résolution ne doit jamais se relâcher. Nul argument ne vous fera prendre des vessies pour des lanternes[1]. Ne prêtez pas l'oreille à ceux selon qui l'Homme et les animaux ont des intérêts communs, à croire vraiment que de la prospérité[2] de l'un dépend celle des autres ? Ce ne sont que des mensonges. L'Homme ne connaît pas d'autres intérêts que les siens. Que donc prévalent[3], entre les animaux, au fil de la lutte, l'unité parfaite et la camaraderie sans faille. Tous les hommes sont des ennemis. Les animaux entre eux sont tous camarades. »

À ce moment-là ce fut un vacarme terrifiant. Alors que Sage l'Ancien terminait sa péroraison[4] révolutionnaire, on vit quatre rats imposants, à l'improviste surgis de leurs trous et se tenant assis, à l'écoute. Les chiens les ayant aperçus, ces rats ne durent le salut[5] qu'à une prompte retraite vers leur tanière. Alors Sage l'Ancien leva une patte auguste[6] pour réclamer le silence.

« Camarades, dit-il, il y a une question à trancher. Devons-nous regarder les créatures sauvages, telles que rats et lièvres, comme des alliées ou comme des ennemies ? Je vous propose d'en décider. Que les présents se prononcent sur la motion[7] suivante : Les rats sont-ils nos camarades ? »

Derechef on vota, et à une écrasante majorité il fut décidé que les rats seraient regardés en camarades. Quatre voix seulement furent d'un avis contraire : les trois chiens et la chatte (on le découvrit plus tard, celle-ci avait voté pour et contre). Sage l'Ancien reprit :

---

1. **Prendre des vessies pour des lanternes** : croire des mensonges grossiers.
2. **Prospérité** : enrichissement, amélioration de la situation économique.
3. **Prévalent** : soient supérieures.
4. **Péroraison** : conclusion.
5. **Salut** : le fait d'être saufs, ici de ne pas être dévorés.
6. **Auguste** : solennelle, imposante.
7. **Motion** : texte soumis au vote d'une assemblée.

« J'ai peu à ajouter. Je m'en tiendrai à redire que vous avez à montrer en toutes circonstances votre hostilité envers[1] l'Homme et ses façons de faire. L'ennemi est tout deuxpattes, l'ami tout quatrepattes ou tout volatile. Ne perdez pas de vue non plus que la lutte elle-même ne doit pas nous changer à la ressemblance de l'ennemi. Même après l'avoir vaincu, gardons-nous[2] de ses vices. Jamais animal n'habitera une maison, ne dormira dans un lit, ne portera de vêtements, ne touchera à l'alcool ou au tabac, ni à l'argent, ni ne fera négoce[3]. Toutes les mœurs[4] de l'Homme sont de mauvaises mœurs. Mais surtout, jamais un animal n'en tyrannisera un autre. Quand tous sont frères, peu importe le fort ou le faible, l'esprit profond ou simplet. Nul animal jamais ne tuera un autre animal. Tous les animaux sont égaux.

Maintenant, camarades, je vais vous dire mon rêve de la nuit dernière. Je ne m'attarderai pas à le décrire vraiment. La terre m'est apparue telle qu'une fois délivrée de l'Homme, et cela m'a fait me ressouvenir d'une chose enfouie au fin fond de la mémoire. Il y a belle lurette[5], j'étais encore cochon de lait[6], ma mère et les autres truies chantaient souvent une chanson dont elles ne savaient que l'air et les trois premiers mots. Or, dans mon rêve de la nuit dernière, cette chanson m'est revenue avec toutes les paroles – des paroles, j'en suis sûr, que jadis ont dû chanter les animaux, avant qu'elles se perdent dans la nuit des temps. Mais maintenant, camarades, je vais la chanter pour vous. Je suis d'un âge avancé, certes, et ma voix est rauque, mais quand vous aurez saisi l'air, vous vous y retrouverez mieux que moi. Le titre, c'est *Bêtes d'Angleterre.* »

---

1. **Hostilité envers** : opposition violente à.
2. **Gardons-nous** : méfions-nous, préservons-nous.
3. **Fera négoce** : fera du commerce pour en tirer de l'argent.
4. **Mœurs** : coutumes, habitudes de vie.
5. **Il y a belle lurette** : il y a bien longtemps.
6. **Cochon de lait** : porcelet qui tète encore sa mère.

Sage l'Ancien se racla la gorge et se mit à chanter. Sa voix était rauque, ainsi qu'il avait dit, mais il se tira bien d'affaire. L'air tenait d'*Amour toujours* et de *La Cucaracha*[1], et on en peut dire qu'il était plein de feu[2] et d'entrain. Voici les paroles de 220 la chanson :

> *Bêtes d'Angleterre et d'Irlande,*
> *Animaux de tous les pays,*
> *Prêtez l'oreille à l'espérance*
> *Un âge d'or vous est promis.*

225
> *L'homme tyran exproprié[3],*
> *Nos champs connaîtront l'abondance,*
> *De nous seuls ils seront foulés,*
> *Le jour vient de la délivrance.*

> *Plus d'anneaux qui pendent au nez,*
230
> *Plus de harnais sur nos échines[4],*
> *Les fouets cruels sont retombés*
> *Éperons[5] et mors[6] sont en ruine.*

> *Des fortunes mieux qu'en nos rêves,*
> *D'orge et de blé, de foin, oui da[7],*
235
> *De trèfle, de pois et de raves[8]*
> *Seront à vous de ce jour-là.*

---

1. *Amour toujours* : chanson traditionnelle américaine (dont le titre anglais est *Clementine*), *La Cucaracha* : chanson traditionnelle mexicaine.
2. Feu : passion.
3. Exproprié : dépouillé, chassé de sa propriété.
4. Échines : dos.
5. Éperons : instruments métalliques que le cavalier accroche au talon de ses chaussures et plante dans le flanc de sa monture pour la faire avancer.
6. Mors : pièces métalliques placées dans la bouche des chevaux, auxquelles sont fixées les rênes qui les guident.
7. Oui da : assurément.
8. Raves : légumes dont on consomme la racine.

Ô comme brillent tous nos champs,
Comme est plus pure l'eau d'ici,
Plus doux aussi souffle le vent
240   Du jour que l'on est affranchi[1].

Vaches, chevaux, oies et dindons,
Bien que l'on meure avant le temps,
Ce jour-là préparez-le donc,
Tout être libre absolument.

245   Bêtes d'Angleterre et d'Irlande,
Animaux de tous les pays,
Prêtez l'oreille à l'espérance
Un âge d'or vous est promis.

D'avoir chanté un chant pareil suscita chez les animaux l'émotion,
250 la fièvre et la frénésie[2]. Sage l'Ancien n'avait pas entonné le dernier
couplet que tous s'étaient mis à l'unisson[3]. Même les plus bouchés[4]
des animaux avaient attrapé l'air et jusqu'à des bribes de paroles.
Les plus délurés[5], tels que cochons et chiens, apprirent le tout
par cœur en quelques minutes. Et, après quelques répétitions
255 improvisées, la ferme entière retentit d'accents martiaux[6], qui
étaient beuglements des vaches, aboiements des chiens, bêlements
des moutons, hennissements des chevaux, couac-couac des canards.
Bêtes d'Angleterre, animaux de tous les pays: c'est ce qu'ils chantaient
en chœur à leurs différentes façons, et d'un tel enthousiasme
260 qu'ils s'y reprirent cinq fois de suite et d'un bout à l'autre. Si rien
n'était venu arrêter leur élan, ils se seraient exercés toute la nuit.

---

1. **Affranchi**: libéré de l'esclavage.
2. **La fièvre et la frénésie**: l'enthousiasme et l'excitation.
3. **S'étaient mis à l'unisson**: chantaient en chœur.
4. **Bouchés**: bornés, limités.
5. **Délurés**: débrouillards, malins.
6. **Martiaux**: guerriers.

Malheureusement, Mr. Jones, réveillé par le tapage, sauta en bas du lit, persuadé qu'un renard avait fait irruption dans la cour. Il se saisit de la carabine, qu'il gardait toujours dans un coin de 265 la chambre à coucher, et dans les ténèbres déchargea une solide volée de plomb. Celle-ci se logea dans le mur de la grange, de sorte que la réunion des animaux prit fin dans la confusion. Chacun regagna son habitat en grande hâte : les quatrepattes leurs lits de paille, les volatiles leurs perchoirs. L'instant d'après, 270 toutes les créatures de la ferme sombraient dans le sommeil.

Chapitre 2

Trois nuits plus tard, Sage l'Ancien s'éteignait paisiblement dans son sommeil. Son corps fut enterré en bas du verger.

On était au début mars. Pendant les trois mois qui suivirent, ce fut une intense activité clandestine. Le discours de Sage l'Ancien avait éveillé chez les esprits les plus ouverts des perspectives d'une nouveauté bouleversante. Les animaux ne savaient pas quand aurait lieu le soulèvement annoncé par le prophète, et n'avaient pas lieu de croire que ce serait de leur vivant, mais ils voyaient bien leur devoir d'en jeter les bases. La double tâche d'instruire et d'organiser échut[1] bien normalement aux cochons, qu'en général on regardait comme l'espèce la plus intelligente. Et, entre les cochons, les plus éminents[2] étaient Boule de Neige et Napoléon, deux jeunes verrats[3] que Mr. Jones élevait pour en tirer bon prix. Napoléon était un grand et imposant Berkshire[4], le seul de la ferme. Avare de paroles, il avait la réputation de savoir ce qu'il voulait. Boule de Neige, plus vif, d'esprit plus délié[5] et plus inventif, passait pour avoir moins de caractère. Tous les autres cochons de la ferme étaient à l'engrais[6]. Le plus connu

---

1. **Échut** : revint.
2. **Éminents** : supérieurs par leurs qualités intellectuelles.
3. **Verrats** : porcs non castrés.
4. **Berkshire** : cochon fauve à taches noires.
5. **Délié** : fin.
6. **À l'engrais** : en train d'être engraissés.

d'entre eux, Brille-Babil[1], un goret[2] bien en chair et de petite
20 taille, forçait l'attention par sa voix perçante et son œil malin.
On remarquait aussi ses joues rebondies et la grande vivacité de
ses mouvements. Brille-Babil, enfin, était un causeur éblouissant
qui, dans les débats épineux, sautillait sur place et battait l'air de
la queue. Cet art exerçait son plein effet au cours de discussions.
25 On s'accordait à dire que Brille-Babil pourrait bien vous faire
prendre des vessies pour des lanternes.

À partir des enseignements de Sage l'Ancien, tous trois – Napoléon,
Boule de Neige et Brille-Babil – avaient élaboré un système
philosophique sans faille qu'ils appelaient l'Animalisme. Plusieurs
30 nuits chaque semaine, une fois Mr. Jones endormi, ils tenaient
des réunions secrètes dans la grange afin d'exposer aux autres
les principes de l'Animalisme. Dans les débuts, ils se heurtèrent à
une apathie[3] et à une bêtise des plus crasses[4]. Certains animaux
invoquaient le devoir d'être fidèle à Mr. Jones, qu'ils disaient
35 être leur maître, ou bien ils faisaient des remarques simplistes,
disant, par exemple : « C'est Mr. Jones qui nous nourrit, sans lui
nous dépéririons », ou bien : « Pourquoi s'en faire pour ce qui
arrivera quand nous n'y serons plus ? », ou bien encore : « Si le
soulèvement doit se produire de toute façon, qu'on s'en mêle
40 ou pas c'est tout un[5] », de sorte que les cochons avaient le plus
grand mal à leur montrer que ces façons de voir étaient contraires
à l'esprit de l'Animalisme. Les questions les plus stupides étaient
encore celles de Lubie, la jument blanche. Elle commença par
demander à Boule de Neige :
45 « Après le soulèvement, est-ce qu'il y aura toujours du sucre ?

---

1. Ce nom souligne la tendance à la prise de parole importante du personnage, le babil
étant un bavardage futile.
2. Goret : jeune cochon.
3. Apathie : absence de réaction.
4. Des plus crasses : du plus haut degré.
5. C'est tout un : c'est pareil.

– Non, lui répondit Boule de Neige, d'un ton sans réplique. Dans cette ferme, nous n'avons pas les moyens de fabriquer du sucre. De toute façon, le sucre est du superflu. Tu auras tout le foin et toute l'avoine que tu voudras.

50 – Et est-ce que j'aurai la permission de porter des rubans dans ma crinière ?

– Camarade, repartit Boule de Neige, ces rubans qui te tiennent tant à cœur sont l'emblème de ton esclavage. Tu ne peux pas te mettre en tête que la liberté a plus de prix que ces colifichets[1] ? »

55 Lubie acquiesça sans paraître bien convaincue.

Les cochons eurent encore plus de mal à réfuter les mensonges colportés par Moïse, le corbeau apprivoisé, qui était le chouchou de Mr. Jones. Moïse, un rapporteur, et même un véritable espion, avait la langue bien pendue. À l'en croire, il existait un pays

60 mystérieux, dit Montagne de Sucrecandi, où tous les animaux vivaient après la mort. D'après Moïse, la Montagne de Sucrecandi se trouvait au ciel, un peu au-delà des nuages. C'était tous les jours dimanche, dans ce séjour. Le trèfle y poussait à longueur d'année, le sucre en morceaux abondait aux haies des champs.

65 Les animaux haïssaient Moïse à cause de ses sornettes et parce qu'il n'avait pas à trimer comme eux, mais malgré tout certains se prirent à croire à l'existence de cette Montagne de Sucrecandi et les cochons eurent beaucoup de mal à les en dissuader.

Ceux-ci avaient pour plus fidèles disciples[2] les deux chevaux

70 de trait, Malabar et Douce. Tous deux éprouvaient grande difficulté à se faire une opinion par eux-mêmes, mais, une fois les cochons devenus leurs maîtres à penser, ils assimilèrent tout l'enseignement, et le transmirent aux autres animaux avec des arguments d'une honnête simplicité. Ils ne manquaient pas une

75 seule des réunions clandestines de la grange, et là entraînaient

---

1. **Colifichets** : objets décoratifs de peu de valeur.
2. **Disciples** : partisans, adeptes.

les autres à chanter *Bêtes d'Angleterre.* Sur cet hymne les réunions prenaient toujours fin.

Or il advint que le soulèvement s'accomplit bien plus tôt et bien plus facilement que personne ne s'y attendait. Au long des
80 années, Mr. Jones, quoique dur avec les animaux, s'était montré à la hauteur de sa tâche, mais depuis quelque temps il était entré dans une période funeste[1]. Il avait perdu cœur à l'ouvrage[2] après un procès où il avait laissé des plumes[3], et s'était mis à boire plus que de raison. Il passait des journées entières dans le fauteuil
85 de la cuisine à lire le journal, un verre de bière à portée de la main dans lequel de temps à autre il trempait pour Moïse des miettes de pain d'oiseau. Ses ouvriers agricoles étaient des filous et des fainéants, les champs étaient envahis par les mauvaises herbes, les haies restaient à l'abandon, les toits des bâtiments
90 menaçaient ruine, les animaux eux-mêmes n'avaient plus leur suffisance de nourriture.

Vint le mois de juin, et bientôt la fenaison[4]. La veille de la Saint-Jean[5], qui tombait un samedi, Mr. Jones se rendit à Willingdon. Là, il se saoula si bien à la taverne du Lion-Rouge
95 qu'il ne rentra chez lui que le lendemain dimanche, en fin de matinée. Ses ouvriers avaient trait les vaches de bonne heure, puis s'en étaient allés tirer[6] les lapins, sans souci de donner aux animaux leur nourriture. À son retour, Mr. Jones s'affala sur le canapé de la salle à manger et s'endormit, un hebdomadaire à
100 sensation[7] sur le visage, et quand vint le soir les bêtes n'avaient toujours rien eu à manger. À la fin, elles ne purent y tenir plus longtemps. Alors l'une des vaches enfonça ses cornes dans la

---

1. **Funeste**: sombre, vouée à une triste fin.
2. **Perdu cœur à l'ouvrage**: perdu l'envie et l'énergie de travailler.
3. **Laissé des plumes**: perdu de l'argent.
4. **Fenaison**: récolte du foin.
5. **Saint-Jean**: fête chrétienne qui a lieu le 24 juin.
6. **Tirer**: chasser.
7. **Un hebdomadaire à sensation**: un journal à scandale, colportant des rumeurs.

porte de la resserre[1] et bientôt toutes les bêtes se mirent à fourrager dans les huches[2] et les boîtes à ordures. À ce moment,
105 Jones se réveilla. L'instant d'après, il se précipita dans la remise avec ses quatre ouvriers, chacun le fouet à la main. Et tout de suite une volée de coups s'abattit de tous côtés. C'était plus que n'en pouvaient souffrir des affamés. D'un commun accord et sans s'être concertés, les meurt-la-faim se jetèrent sur leurs
110 bourreaux. Et voici les cinq hommes en butte[3] aux ruades et coups de corne, changés en souffre-douleur. Une situation inextricable[4]. Car de leur vie leurs maîtres n'avaient vu les animaux se conduire pareillement. Ceux qui avaient coutume de les maltraiter, de les rosser[5] à qui mieux mieux, voilà qu'ils
115 avaient peur. Devant le soulèvement, les hommes perdirent la tête, et bientôt, renonçant au combat, prirent leurs jambes à leur cou. En pleine déroute, ils filèrent par le chemin de terre qui mène à la route, les animaux triomphants à leurs trousses.

De la fenêtre de la chambre, Mrs. Jones, voyant ce qu'il en était,
120 jeta précipitamment quelques affaires dans un sac et se faufila hors de la ferme, ni vu ni connu. Moïse bondit de son perchoir, battit des ailes et la suivit en croassant à plein gosier. Entre-temps, toujours pourchassant les cinq hommes, et les voyant fuir sur la route, les animaux avaient claqué derrière eux la clôture aux
125 cinq barreaux. Ainsi, et presque avant qu'ils s'en soient rendu compte, le soulèvement s'était accompli : Jones expulsé, la Ferme du Manoir était à eux.

Quelques minutes durant, ils eurent peine à croire à leur bonne fortune. Leur première réaction fut de se lancer au galop tout
130 autour de la propriété, comme pour s'assurer qu'aucun humain ne s'y cachait plus. Ensuite, le cortège repartit grand train vers les

---

1. **Resserre** : réserve.
2. **Fourrager dans les huches** : fouiller dans les réserves de provisions.
3. **En butte** : soumis, confrontés.
4. **Inextricable** : dont on ne peut pas sortir, sans solution.
5. **Rosser** : rouer de coups, battre.

dépendances de la ferme pour effacer les derniers vestiges d'un régime haï. Les animaux enfoncèrent la porte de la sellerie[1] qui se trouvait à l'extrémité des écuries, puis précipitèrent dans le puits
135 mors, nasières[2] et laisses, et ces couteaux meurtriers dont Jones et ses acolytes s'étaient servis pour châtrer[3] cochons et agnelets. Rênes, licous[4], œillères, muselières humiliantes furent jetés au tas d'ordures qui brûlaient dans la cour. Ainsi des fouets[5], et, voyant les fouets flamber, les animaux, joyeusement, se prirent à
140 gambader. Boule de Neige livra aussi aux flammes ces rubans dont on pare la crinière et la queue des chevaux les jours de marché.

« Les rubans, déclara-t-il, sont assimilés aux habits. Et ceux-ci montrent la marque de l'homme. Tous les animaux doivent aller nus. »

145 Entendant ces paroles, Malabar s'en fut chercher le petit galurin[6] de paille qu'il portait l'été pour se protéger des mouches, et le flanqua au feu, avec le reste.

Bientôt les animaux eurent détruit tout ce qui pouvait leur rappeler Mr. Jones. Alors Napoléon les ramena à la resserre, et
150 il distribua à chacun double picotin[7] de blé, plus deux biscuits par chien. Et ensuite les animaux chantèrent *Bêtes d'Angleterre*, du commencement à la fin, sept fois de suite. Après quoi, s'étant bien installés pour la nuit, ils dormirent comme jamais encore.

Mais ils se réveillèrent à l'aube, comme d'habitude. Et, se
155 ressouvenant soudain de leur gloire nouvelle, c'est au galop que tous coururent aux pâturages. Puis ils filèrent vers le monticule d'où l'on a vue sur presque toute la ferme. Une fois au sommet, ils découvrirent leur domaine dans la claire lumière du matin. Oui,

---

1. **Sellerie** : pièce où on range les selles et les harnais.
2. **Nasières** : pièces placées dans le nez des bœufs pour les guider.
3. **Châtrer** : castrer.
4. **Licous** : liens permettant d'attacher les bêtes de somme par le cou.
5. **Ainsi des fouets** : on fit pareil avec les fouets.
6. **Galurin** : chapeau.
7. **Picotin** : ration.

il était bien à eux désormais – tout ce qu'ils avaient sous les yeux
160 leur appartenait. À cette pensée, ils exultaient, ils bondissaient et
caracolaient[1], ils se roulaient dans la rosée et broutaient l'herbe
douce de l'été. Et, à coups de sabot, ils arrachaient des mottes de
terre, pour mieux renifler l'humus[2] bien odorant. Puis ils firent
l'inspection de la ferme et, muets d'admiration, embrassèrent tout
165 du regard : les labours[3], les foins, le verger, l'étang, le boqueteau[4].
C'était comme si, de tout le domaine, ils n'avaient rien vu encore,
et même alors ils pouvaient à peine croire que tout cela était
leur propriété.

Alors ils regagnèrent en file indienne les bâtiments de la ferme,
170 et devant le seuil de la maison firent halte en silence. Oh, certes,
elle aussi leur appartenait, mais, intimidés, ils avaient peur d'y
pénétrer. Un instant plus tard, cependant, Napoléon et Boule de
Neige forcèrent la porte de l'épaule, et les animaux les suivirent, un
par un, à pas précautionneux, par peur de déranger. Et maintenant
175 ils vont de pièce en pièce sur la pointe des pieds, c'est à peine
s'ils osent chuchoter, et ils sont pris de stupeur devant un luxe
incroyable : lits matelassés de plume, miroirs, divan en crin de
cheval, moquette de Bruxelles, estampe[5] de la reine Victoria[6]
au-dessus de la cheminée.

180 Quand ils redescendirent l'escalier, Lubie n'était plus là. Revenant
sur leurs pas, les autres s'aperçurent qu'elle était restée dans la
grande chambre à coucher. Elle s'était emparée d'un morceau de
ruban bleu sur la coiffeuse de Mr. Jones et s'admirait dans la glace
en le tenant contre son épaule, et tout le temps avec des poses
185 ridicules. Les autres la rabrouèrent vertement[7] et se retirèrent.

---

1. **Caracolaient** : faisaient des cabrioles.
2. **Humus** : sol humide et fertile.
3. **Labours** : champs labourés.
4. **Boqueteau** : petit bois.
5. **Estampe** : gravure.
6. **Victoria** (1819-1901) : reine du Royaume-Uni de 1837 à 1901.
7. **La rabrouèrent vertement** : la grondèrent sévèrement.

Ils décrochèrent des jambons qui pendaient dans la cuisine afin de les enterrer, et d'un bon coup de sabot Malabar creva le baril de bière de l'office[1]. Autrement, tout fut laissé indemne. Une motion fut même votée à l'unanimité, selon laquelle l'habitation

190 serait transformée en musée. Les animaux tombèrent d'accord que jamais aucun d'eux ne s'y installerait.

Ils prirent le petit déjeuner, puis Boule de Neige et Napoléon les réunirent en séance plénière[2].

« Camarades, dit Boule de Neige, il est six heures et demie, et

195 nous avons une longue journée devant nous. Nous allons faire les foins sans plus attendre, mais il y a une question dont nous avons à décider tout d'abord. »

Les cochons révélèrent qu'ils avaient appris à lire et à écrire, au cours des trois derniers mois, dans un vieil abécédaire[3] des

200 enfants Jones (ceux-ci l'avaient jeté sur un tas d'ordures, et c'est là que les cochons l'avaient récupéré). Ensuite, Napoléon demanda qu'on lui amène des pots de peinture blanche et noire, et il entraîna les animaux jusqu'à la clôture aux cinq barreaux. Là, Boule de Neige (car c'était lui le plus doué pour écrire)

205 fixa un pinceau à sa patte et passa sur le barreau supérieur une couche de peinture qui recouvrit les mots : *Ferme du Manoir*. Puis à la place il calligraphia : *Ferme des Animaux*. Car dorénavant tel serait le nom de l'exploitation agricole. Cette opération terminée, tout le monde regagna les dépendances[4]. Napoléon et Boule de

210 Neige firent alors venir une échelle qu'on dressa contre le mur de la grange. Ils expliquèrent qu'au terme de leurs trois mois d'études les cochons étaient parvenus à réduire les principes de l'Animalisme à Sept Commandements. Le moment était venu d'inscrire les Sept Commandements sur le mur. Ils constitueraient

---

1. Office : pièce où sont stockées les provisions.
2. Séance plénière : réunion où siègent tous les membres d'une assemblée.
3. Abécédaire : livre illustré permettant d'apprendre l'alphabet.
4. Dépendances : bâtiments secondaires.

215 la loi imprescriptible[1] de la vie de tous sur le territoire de la Ferme des Animaux. Non sans quelque mal (vu que, pour un cochon, se tenir en équilibre sur une échelle n'est pas commode), Boule de Neige escalada les barreaux et se mit au travail ; Brille-Babil, quelques degrés plus bas, lui tendait le pot de peinture. Et c'est

220 de la sorte que furent promulgués[2] les Sept Commandements, en gros caractères blancs, sur le mur goudronné. On pouvait les lire à trente mètres de là. Voici leur énoncé :

      1. *Tout deuxpattes est un ennemi.*

      2. *Tout quatrepattes ou tout volatile, un ami.*

225   3. *Nul animal ne portera de vêtements.*

      4. *Nul animal ne dormira dans un lit.*

      5. *Nul animal ne boira d'alcool.*

      6. *Nul animal ne tuera un autre animal.*

      7. *Tous les animaux sont égaux.*

230   C'était tout à fait bien calligraphié, si ce n'est que volatile était devenu vole-t-il, et aussi à un *s* près, formé à l'envers. Boule de Neige donna lecture des Sept Commandements, à l'usage des animaux qui n'avaient pas appris à lire. Et tous donnèrent leur assentiment[3] d'un signe de tête, et les esprits les plus éveillés

235 commencèrent aussitôt à apprendre les Sept Commandements par cœur.

    « Et maintenant, camarades, aux foins ! s'écria Boule de Neige. Il y va de notre honneur d'engranger[4] la récolte plus vite que ne le feraient Jones et ses acolytes[5]. »

240   Mais à cet instant les trois vaches, qui avaient paru mal à l'aise depuis un certain temps, gémirent de façon lamentable. Il y avait

---

1. **Imprescriptible** : qui ne peut pas être supprimée.
2. **Promulgués** : publiés officiellement.
3. **Assentiment** : accord.
4. **Engranger** : mettre dans la grange.
5. **Acolytes** : complices.

vingt-quatre heures qu'elles n'avaient pas été traites, leurs pis étaient sur le point d'éclater. Après brève réflexion, les cochons firent venir des seaux et se mirent à la besogne. Ils s'en tirèrent
245 assez bien, car les pieds des cochons convenaient à cette tâche. Bientôt furent remplis cinq seaux de lait crémeux et mousseux que maints animaux lorgnaient[1] avec l'intérêt le plus vif. L'un d'eux dit:

« Qu'est-ce qu'on va faire avec tout ce lait?
250 Et l'une des poules:

– Quelquefois, Jones en ajoutait à la pâtée.

Napoléon se planta devant les seaux et s'écria:

– Ne vous en faites pas pour le lait, camarades! On va s'en occuper. La récolte, c'est ce qui compte. Boule de Neige va vous
255 montrer le chemin. Moi, je serai sur place dans quelques minutes. En avant, camarades! Le foin vous attend. »

Aussi les animaux gagnèrent les champs et ils commencèrent la fenaison, mais quand au soir ils s'en retournèrent ils s'aperçurent que le lait n'était plus là.

---

1. Lorgnaient: regardaient avec envie.

Chapitre 3

Comme ils trimèrent et prirent de la peine pour rentrer le foin! Mais leurs efforts furent récompensés car la récolte fut plus abondante encore qu'ils ne l'auraient cru.

À certains moments la besogne était tout à fait pénible. Les
5 instruments agraires[1] avaient été inventés pour les hommes et non pour les animaux, et ceux-ci en subissaient les conséquences. Ainsi, aucun animal ne pouvait se servir du moindre outil qui l'obligeât à se tenir debout sur ses pattes de derrière. Néanmoins, les cochons étaient si malins qu'ils trouvèrent le moyen de tourner[2]
10 chaque difficulté. Quant aux chevaux, ils connaissaient chaque pouce[3] du terrain, et s'y entendaient à faucher et à râteler mieux que Jones et ses gens leur vie durant. Les cochons, à vrai dire, ne travaillaient pas: ils distribuaient le travail et veillaient à sa bonne exécution. Avec leurs connaissances supérieures, il était naturel
15 qu'ils prennent le commandement. Malabar et Douce s'attelaient tout seuls au râteau ou à la faucheuse (ni mors ni rênes n'étant plus nécessaires, bien entendu), et ils arpentaient le champ en long et en large, un cochon à leurs trousses. Celui-ci s'écriait: «Hue dia, camarade!» ou «Holà, ho, camarade!», suivant le
20 cas. Et chaque animal jusqu'au plus modeste besognait à faner[4]

---

1. Agraires: utilisés pour l'agriculture.
2. Tourner: contourner.
3. Chaque pouce: chaque centimètre (le pouce est une unité de mesure anglo-saxonne dont la valeur est d'environ 2,5 centimètres).
4. Faner: retourner le foin coupé pour le faire sécher.

et ramasser le foin. Même les canards et les poules sans relâche allaient et venaient sous le soleil, portant dans leurs becs des filaments minuscules. Et ainsi la fenaison fut achevée deux jours plus tôt qu'aux temps de Jones. Qui plus est, ce fut la plus belle
25 récolte de foin que la ferme ait jamais connue. Et nul gaspillage, car poules et canards, animaux à l'œil prompt, avaient glané[1] jusqu'au plus petit brin. Et pas un animal n'avait dérobé ne fût-ce qu'une bouchée.

Tout l'été le travail progressa avec une régularité d'horloge.
30 Les animaux étaient heureux d'un bonheur qui passait leurs espérances. Tout aliment leur était plus délectable[2] d'être le fruit de leur effort. Car désormais c'était là leur propre manger, produit par eux et pour eux, et non plus l'aumône[3], accordée à contrecœur, d'un maître parcimonieux[4]. Une fois délivrés de
35 l'engeance[5] humaine – des bons à rien, des parasites –, chacun d'eux reçut en partage une ration plus copieuse. Et, quoique encore peu expérimentés, ils eurent aussi des loisirs accrus. Oh, il leur fallut faire face à bien des difficultés. C'est ainsi que, plus tard dans l'année et le temps venu de la moisson, ils durent dépiquer[6]
40 le blé à la mode d'autrefois et, faute d'une batteuse[7] à la ferme, chasser la glume[8] en soufflant dessus. Mais l'esprit de ressource des cochons ainsi que la prodigieuse musculature de Malabar les tiraient toujours d'embarras. Malabar faisait l'admiration de tous. Déjà connu à l'époque de Jones pour son cœur à l'ouvrage,
45 pour lors il besognait comme trois. Même, certains jours, tout le travail de la ferme semblait reposer sur sa puissante encolure. Du matin à la tombée de la nuit, il poussait, il tirait, et était toujours

---

1. **Glané** : ramassé le foin.
2. **Délectable** : source de plaisir intense.
3. **Aumône** : don fait par charité.
4. **Parcimonieux** : trop économe.
5. **Engeance** : race (péjoratif).
6. **Dépiquer** : détacher les grains de la tige.
7. **Batteuse** : machine qui sert à battre les céréales pour en extraire le grain.
8. **Glume** : enveloppe du grain de blé.

présent au plus dur du travail. Il avait passé accord avec l'un des
jeunes coqs pour qu'on le réveille une demi-heure avant tous
50 les autres, et, devançant l'horaire et le plan de la journée, de
son propre chef il se portait volontaire aux tâches d'urgence. À
tout problème et à tout revers[1], il opposait sa conviction : «Je vais
travailler plus dur.» Ce fut là sa devise.

Toutefois, chacun œuvrait suivant ses capacités. Ainsi, les poules
55 et les canards récupérèrent dix boisseaux[2] de blé en recueillant
les grains disséminés çà et là. Et personne qui chapardât[3], ou
qui se plaignît des rations : les prises de bec, bisbilles[4], humeurs
ombrageuses, jadis monnaie courante, n'étaient plus de mise.
Personne ne tirait au flanc[5] – enfin, presque personne. Lubie,
60 avouons-le, n'était pas bien matineuse[6], et se montrait encline[7] à
quitter le travail de bonne heure, sous prétexte qu'un caillou lui
agaçait le sabot. La conduite de la chatte était un peu singulière
aussi. On ne tarda pas à s'apercevoir qu'elle était introuvable
quand l'ouvrage requérait[8] sa présence. Elle disparaissait des
65 heures d'affilée pour reparaître aux repas, ou le soir après le
travail fait, comme si de rien n'était. Mais elle se trouvait des
excuses si excellentes, et ronronnait de façon si affectueuse,
que ses bonnes intentions n'étaient pas mises en doute. Quant
à Benjamin, le vieil âne, depuis la révolution il était demeuré le
70 même. Il s'acquittait de sa besogne de la même manière lente
et têtue, sans jamais renâcler[9], mais sans zèle[10] inutile non plus.

---

1. **Revers** : inconvénient, aspect désagréable d'une chose.
2. **Boisseaux** : anciennes unités de mesure (un boisseau correspond à environ dix litres).
3. **Chapardât** : volât.
4. **Bisbilles** : disputes inutiles.
5. **Tirait au flanc** : essayait d'échapper à la corvée.
6. **Matineuse** : matinale.
7. **Encline** : disposée.
8. **Requérait** : nécessitait.
9. **Renâcler** : renifler (sens propre), manifester son mécontentement (sens figuré) ; les deux sens sont employés ici.
10. **Zèle** : ardeur excessive.

Sur le soulèvement même et ses conséquences, il se gardait de toute opinion. Quand on lui demandait s'il ne trouvait pas son sort meilleur depuis l'éviction[1] de Jones, il s'en tenait à dire :

75 « Les ânes ont la vie dure. Aucun de vous n'a jamais vu mourir un âne », et de cette réponse sibylline[2] on devait se satisfaire.

Le dimanche, jour férié, on prenait le petit déjeuner une heure plus tard que d'habitude. Puis c'était une cérémonie renouvelée sans faute chaque semaine. D'abord on hissait les

80 couleurs[3]. Boule de Neige s'était procuré à la sellerie un vieux tapis de table de couleur verte, qui avait appartenu à Mrs. Jones, et sur lequel il avait peint en blanc une corne et un sabot. Ainsi donc, dans le jardin de la ferme, tous les dimanches matin le pavillon était hissé au mât. Le vert du drapeau, expliquait Boule

85 de Neige, représente les verts pâturages d'Angleterre ; la corne et le sabot, la future République, laquelle serait proclamée au renversement définitif de la race humaine. Après le salut au drapeau, les animaux gagnaient ensemble la grange. Là se tenait une assemblée qui était l'assemblée générale, mais qu'on appelait

90 l'Assemblée. On y établissait le plan de travail de la semaine et on y débattait et adoptait différentes résolutions. Celles-ci, les cochons les proposaient toujours. Car si les autres animaux savaient comment on vote, aucune proposition nouvelle ne leur venait à l'esprit. Ainsi, le plus clair des débats était l'affaire de

95 Boule de Neige et Napoléon. Il est toutefois à remarquer qu'ils n'étaient jamais d'accord : quel que fût l'avis de l'un, on savait que l'autre y ferait pièce[4]. Même une fois décidé – et personne ne pouvait s'élever contre la chose elle-même – d'aménager en maison de repos le petit enclos attenant au verger, un débat

100 orageux s'ensuivit : quel est, pour chaque catégorie d'animaux,

---

1. **Éviction** : expulsion.
2. **Sibylline** : énigmatique.
3. **Hissait les couleurs** : levait le drapeau.
4. **Y ferait pièce** : le contredirait.

l'âge légitime de la retraite ? L'assemblée prenait toujours fin aux accents de *Bêtes d'Angleterre*, et l'après-midi était consacré aux loisirs.

Les cochons avaient fait de la sellerie leur quartier général.
105 Là, le soir, ils étudiaient les arts et métiers : les techniques du maréchal-ferrant, ou celles du menuisier, par exemple – à l'aide de livres ramenés de la ferme. Boule de Neige se préoccupait aussi de répartir les animaux en Commissions[1], et sur ce terrain il était infatigable. Il constitua pour les poules la Commission des
110 pontes, pour les vaches la Ligue des queues de vaches propres, pour les réfractaires la Commission de rééducation des camarades vivant en liberté dans la nature (avec pour but d'apprivoiser les rats et les lapins), et pour les moutons le Mouvement de la laine immaculée, et encore d'autres instruments de prophylaxie[2]
115 sociale – outre les classes de lecture et d'écriture.

Dans l'ensemble, ces projets connurent l'échec. C'est ainsi que la tentative d'apprivoiser les animaux sauvages avorta[3] presque tout de suite. Car ils ne changèrent pas de conduite, et ils mirent à profit toute velléité[4] généreuse à leur égard. La chatte fit de
120 bonne heure partie de la Commission de rééducation, et pendant quelques jours y montra de la résolution. Même, une fois, on la vit assise sur le toit, parlementant avec des moineaux hors d'atteinte : tous les animaux sont désormais camarades. Aussi tout moineau pouvait se percher sur elle, même sur ses griffes.
125 Mais les moineaux gardaient leurs distances.

Les cours de lecture et d'écriture, toutefois, eurent un vif succès. À l'automne, il n'y avait plus d'illettrés, autant dire.

Les cochons, eux, savaient déjà lire et écrire à la perfection. Les chiens apprirent à lire à peu près couramment, mais ils ne
130 s'intéressaient qu'aux Sept Commandements. Edmée, la chèvre,

---

1. **Commissions** : réunions de personnes en charge d'un projet.
2. **Prophylaxie** : protection.
3. **Avorta** : échoua.
4. **Mirent à profit toute velléité** : profitèrent de toute intention.

s'en tirait mieux qu'eux. Le soir, il lui arrivait de faire aux autres la lecture de fragments de journaux découverts aux ordures. Benjamin, l'âne, pouvait lire aussi bien que n'importe quel cochon, mais jamais il n'exerçait ses dons. « Que je sache, disait-il, il n'y a
135 rien qui vaille la peine d'être lu. » Douce apprit toutes ses lettres, mais la science des mots lui échappait. Malabar n'allait pas au-delà de la lettre D. De son grand sabot, il traçait dans la poussière les lettres A B C D, puis il les fixait des yeux, et, les oreilles rabattues et de temps à autre repoussant la mèche qui lui barrait le front, il
140 faisait grand effort pour se rappeler quelles lettres venaient après, mais sans jamais y parvenir. Bel et bien, à différentes reprises, il retint E F G H, mais du moment qu'il savait ces lettres-là, il avait oublié les précédentes. À la fin, il décida d'en rester aux quatre premières lettres, et il les écrivait une ou deux fois dans la
145 journée pour se rafraîchir la mémoire. Lubie refusa d'apprendre l'alphabet, hormis les cinq lettres de son nom. Elle les traçait fort adroitement, avec des brindilles, puis les agrémentait d'une fleur ou deux et, avec admiration, en faisait le tour.

Aucun des autres animaux de la ferme ne put aller au-delà
150 de la lettre A. On s'aperçut aussi que les plus bornés, tels que moutons, poules et canards, étaient incapables d'apprendre par cœur les Sept Commandements. Après mûre réflexion, Boule de Neige signifia que les Sept Commandements pouvaient, après tout, se ramener à une maxime[1] unique, à savoir : *Quatrepattes, oui !*
155 *Deuxpattes, non !* En cela, dit-il, réside le principe fondamental de l'Animalisme. Quiconque en aurait tout à fait saisi la signification serait à l'abri des influences humaines. Tout d'abord les oiseaux se rebiffèrent[2], se disant qu'eux aussi sont des deuxpattes, mais Boule de Neige leur prouva leur erreur, disant :
160 « Les ailes de l'oiseau, camarades, étant des organes de propulsion, non de manipulation, doivent être regardées comme des pattes.

---

1. **Maxime** : formule exprimant une règle, une vérité générale.
2. **Se rebiffèrent** : se révoltèrent.

Ça va de soi. Et c'est la main qui fait la marque distinctive de l'homme : la main qui manipule, la main de malignité[1]. »

Les oiseaux restèrent cois[2] devant les mots compliqués de Boule de Neige, mais ils approuvèrent sa conclusion, et tous les moindres animaux de la ferme se mirent à apprendre par cœur la nouvelle maxime : *Quatrepattes, oui ! Deuxpattes, non !*, que l'on inscrivit sur le mur du fond de la grange, au-dessus des Sept Commandements et en plus gros caractères. Une fois qu'ils la surent sans se tromper, les moutons s'en éprirent[3], et c'est souvent que, couchés dans les champs, ils bêlaient en chœur : *Quatrepattes, oui ! Deuxpattes, non !* Et ainsi des heures durant, sans se lasser jamais.

Napoléon ne portait aucun intérêt aux Commissions de Boule de Neige. Selon lui, l'éducation des jeunes était plus importante que tout ce qu'on pouvait faire pour les animaux déjà d'âge mûr. Or, sur ces entrefaites[4], les deux chiennes, Constance et Fleur, mirent bas, peu après la fenaison, donnant naissance à neuf chiots vigoureux. Dès après le sevrage[5], Napoléon enleva les chiots à leurs mères, disant qu'il pourvoirait personnellement à[6] leur éducation. Il les remisa[7] dans un grenier où l'on n'accédait que par une échelle de la sellerie, et les y séquestra[8] si bien que bientôt tous les autres animaux oublièrent jusqu'à leur existence.

Le mystère de la disparition du lait fut bientôt élucidé. C'est que chaque jour le lait était mélangé à la pâtée des cochons. C'était le temps où les premières pommes commençaient à mûrir, et bientôt elles jonchaient l'herbe du verger. Les animaux s'attendaient au partage équitable qui leur semblait aller de soi. Un jour, néanmoins, ordre fut donné de ramasser les pommes pour les apporter à

---

1. Malignité : méchanceté.
2. Cois : muets.
3. S'en éprirent : se passionnèrent pour cette maxime.
4. Sur ces entrefaites : à ce moment-là.
5. Sevrage : fin de la période d'allaitement.
6. Pourvoirait [...] à : s'occuperait de.
7. Remisa : mit à l'abri.
8. Séquestra : enferma.

la sellerie, au bénéfice des porcs. On entendit bien murmurer
190 certains animaux, mais ce fut en vain. Tous les cochons étaient,
sur ce point, entièrement d'accord, y compris Napoléon et Boule
de Neige. Et Brille-Babil fut chargé des explications nécessaires:

« Vous n'allez tout de même pas croire, camarades, que nous,
les cochons, agissons par égoïsme, que nous nous attribuons des
195 privilèges. En fait, beaucoup d'entre nous détestent le lait et les
pommes. C'est mon propre cas. Si nous nous les approprions,
c'est dans le souci de notre santé. Le lait et les pommes (ainsi,
camarades, que la science le démontre) renferment des substances
indispensables au régime alimentaire du cochon. Nous sommes, nous
200 autres, des travailleurs intellectuels. La direction et l'organisation
de cette ferme reposent entièrement sur nous. De jour et de nuit
nous veillons à votre bien. Et c'est pour votre bien que nous buvons
ce lait et mangeons ces pommes. Savez-vous ce qu'il adviendrait si
nous, les cochons, devions faillir à notre devoir? Jones reviendrait!
205 Oui, Jones! Assurément, camarades – s'exclama Brille-Babil, sur
un ton presque suppliant, et il se balançait de côté et d'autre,
fouettant l'air de sa queue –, assurément il n'y en a pas un seul
parmi vous qui désire le retour de Jones? »

S'il était en effet quelque chose dont tous les animaux ne
210 voulaient à aucun prix, c'était bien le retour de Jones. Quand on
leur présentait les choses sous ce jour[1], ils n'avaient rien à redire.
L'importance de maintenir les cochons en bonne forme s'imposait
donc à l'évidence. Aussi fut-il admis sans plus de discussion que le
lait et les pommes tombées dans l'herbe (ainsi que celles, la plus
215 grande partie, à mûrir encore) seraient prérogative[2] des cochons.

---

1. **Sous ce jour**: selon cet angle de vue.
2. **Prérogative**: avantage exclusif.

Un quiz pour commencer

Cochez les bonnes réponses.

1 *Quel animal est Sage l'Ancien ?*
- ❏ C'est un cheval.
- ❏ C'est un cochon.
- ❏ C'est un corbeau.

2 *Quel constat Sage l'Ancien fait-il dans son discours sur la condition animale ?*
- ❏ Les animaux sont bien traités par les hommes.
- ❏ Les animaux sont victimes de la violence et de la domination humaines.
- ❏ Les animaux cohabitent pacifiquement avec les hommes.

3 *Comment se nomme l'hymne chanté par Sage l'Ancien ?*
- ❏ *Amour toujours.*
- ❏ *La Cucaracha.*
- ❏ *Bêtes d'Angleterre.*

4 *Qui sont les deux cochons les plus intelligents de la ferme ?*

- ❑ Boule de Neige et Napoléon.
- ❑ Napoléon et Brille-Babil.
- ❑ Boule de Neige et Brille-Babil.

5 *Quand la révolte des bêtes a-t-elle lieu ?*

- ❑ Peu de temps avant la mort de Sage l'Ancien.
- ❑ Quelques mois après la mort de Sage l'Ancien.
- ❑ Des années après la mort de Sage l'Ancien.

6 *Quels objets les animaux libérés brûlent-ils après avoir chassé les hommes de la ferme ?*

- ❑ Les vêtements que portaient Mr. Jones et ses ouvriers.
- ❑ Le mobilier qui se trouve dans la maison de Mr. Jones.
- ❑ Les instruments utilisés par les hommes pour attacher ou guider les animaux.

7 *À quoi ressemble le drapeau que les animaux décident de hisser au sommet de la ferme ?*

- ❑ Il est bleu avec un cochon blanc.
- ❑ Il est rouge avec une motte de foin blanche.
- ❑ Il est vert avec une corne et un sabot blancs.

8 *À quelle activité propre aux hommes les animaux se livrent-ils ?*

- ❑ À la couture.
- ❑ À la lecture.
- ❑ À la cuisine.

9 *Quel groupe d'animaux est responsable de la disparition du lait ?*

- ❑ Les vaches.
- ❑ Les chevaux.
- ❑ Les cochons.

Des questions pour aller plus loin

→ *Découvrir les caractéristiques d'un récit argumentatif*

Une histoire d'animaux

1 Dressez la liste des personnages principaux, précisez à quelle espèce animale ils appartiennent et commentez leurs noms.

2 Relevez des mots et expressions qui montrent que ces animaux se comportent comme des humains. Comment appelle-t-on ce procédé ? Dans quels genres littéraires le rencontre-t-on souvent ?

3 Associez à chaque espèce animale le rôle joué dans la ferme.

Les cochons •	• Ceux qui travaillent avec acharnement
Les chevaux •	• Ceux qui obéissent sans réfléchir
Les moutons •	• Ceux qui réfléchissent et commandent

4 En vous appuyant sur les éléments du texte, dressez le portrait du propriétaire de la ferme, Mr. Jones. Quelle vision de l'espèce humaine l'auteur donne-t-il à travers ce personnage ?

La révolte contre les hommes

5 Comment Sage l'Ancien définit-il la condition animale dans le deuxième paragraphe de son discours (p. 12)? Expliquez pourquoi, selon lui, l'homme est le «seul véritable ennemi» des animaux.

6 En vous aidant du chapitre 2, dites sur quels grands principes repose le «système philosophique» mis au point par les cochons à partir de la théorie de Sage l'Ancien. Quel texte les rend officiels?

7 Reportez les différentes étapes de la révolte sur la frise ci-dessous. Observez les lignes 92 à 118 du chapitre 2 (p. 24-25). Quelles remarques pouvez-vous faire sur le rythme du récit dans ce passage? Appuyez-vous sur le temps des verbes, la longueur des phrases et les indices temporels.

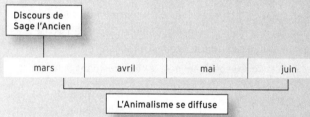

8 🖰 Recherchez sur Internet des informations sur la révolution russe de 1917. Quels liens pouvez-vous établir entre ces éléments historiques et les actions et les personnages du récit?

Un ordre nouveau

9 (Langue) Au début du chapitre 3, relevez les termes appartenant au champ lexical de la peine et de l'effort. À quel autre champ lexical des lignes 29 à 37 ces termes s'opposent-ils?

10 (Langue) Relevez deux expressions qui montrent que les cochons apportent des solutions à toutes les difficultés. Quels liens logiques sont employés à chaque fois et quelle qualité des cochons est ainsi mise en valeur?

11 Tous les animaux sont-ils égaux face au travail, à l'apprentissage de la lecture et au partage de la nourriture ? Quels problèmes cette situation risque-t-elle d'engendrer, selon vous ?

Zoom sur le discours de Sage l'Ancien (p. 11-15, l. 74 à 173)

12 Observez les phrases interrogatives dans les deux premiers paragraphes de ce passage. À quel procédé Sage l'Ancien recourt-il ici et pourquoi, selon vous ?

13 Dans le troisième paragraphe, quelle contradiction Sage l'Ancien met-il en évidence ? Quelle en est la conclusion implicite ?

14 Quel sentiment Sage l'Ancien essaie-t-il de susciter chez son auditoire à la fin de son discours ? Quel ton emploie-t-il et dans quel but ?

15 Qu'appelle-t-on, historiquement, la « lutte des classes » ? Faites une recherche Internet sur la théorie philosophique de Karl Marx pour répondre. En quoi ce discours en fournit-il une illustration ?

✔ Rappelez-vous !

• Dans la lignée de la **fable** et du **conte**, *La Ferme des animaux* est un récit court et plaisant, qui met en scène des **animaux personnifiés**. Il s'agit d'un **apologue**, c'est-à-dire d'un texte narratif à **visée argumentative**, qui invite le lecteur à réfléchir sur la société dans laquelle il évolue.

• La théorie de l'Animalisme s'inspire de la thèse de la **lutte des classes** de **Karl Marx**. La révolte des animaux symbolise la **révolution soviétique en Russie** : comme les animaux de la ferme, le prolétariat chasse les bourgeois et instaure un régime censé être égalitaire.

De la lecture à l'expression orale et écrite

💬✏️ *Des mots pour mieux s'exprimer*

1 *Identifiez l'intrus dans chacune des listes suivantes. Aidez-vous d'un dictionnaire.*

A. Besogne | Labeur | Oisiveté | Ouvrage | Tâche | Travail

B. Insurrection | Obéissance | Rébellion | Sédition | Soulèvement

C. Assaut | Attaque | Combat | Échauffourée | Offensive | Retraite

2 *Recherchez la racine commune des mots suivants, expliquez sa signification puis donnez la définition de chacun de ces termes. Vous emploierez chacun d'eux dans une phrase qui en éclairera le sens.*

Autocratie | Démocratie | Gérontocratie

Technocratie | Théocratie | Ploutocratie

🎤 *La parole est à vous*

1 Faites à voix haute une lecture expressive du discours de Sage l'Ancien en soignant le ton, le débit et le volume de votre voix.

Consignes. Relisez le texte mentalement et repérez la ponctuation. Identifiez le sens de chaque phrase et la tonalité générale de l'extrait. Lisez ensuite le texte à voix haute devant vos camarades en veillant à respecter la ponctuation et en faisant entendre les sentiments du personnage.

2 Imaginez le discours d'un animal en réponse à celui de Sage l'Ancien : il défend l'idée que les hommes sont bons pour les animaux de la ferme.

Consignes. Par écrit, recensez et classez quelques arguments sous forme de notes. Puis, pendant deux ou trois minutes, improvisez un discours en vous aidant de vos notes, sans les lire à voix haute.

À vous d'écrire

1 Mr. Jones, chassé de sa ferme, se réfugie au village de Willingdon, raconte aux habitants ce qu'il vient de vivre et leur fait part de son effroi face à ce soulèvement.

Consignes. Ce récit, d'une vingtaine de lignes, sera écrit à la première personne et au passé composé. Vous veillerez à employer le vocabulaire des émotions et des sentiments.

2 Pourquoi la violence peut ne pas être la meilleure arme pour se libérer d'un système oppressant et contraire aux libertés ?

Consignes. Vous développerez votre réflexion de façon organisée (introduction, développement, conclusion) en une trentaine de lignes.

Du texte à l'image

• *La Ferme des animaux*, film d'animation de Joy Batchelor et John Halas, 1954.
• *La Ferme des animaux*, téléfilm de John Stephenson, 1999.
• Affiche pour la pièce de théâtre *La Ferme des animaux*, adaptation et mise en scène de Cyril Bacqué, 2008.
➡ **Images reproduites en début d'ouvrage, sur la couverture et son verso.**

👁 Lire l'image

1 Décrivez précisément chaque image (techniques employées, couleurs, composition, attitude des personnages). Qu'ont-elles en commun ?

2 Quel est l'angle de vue choisi pour le plan représenté dans le photogramme du téléfilm de 1999 ? Quel est l'effet recherché ?

3 En quoi l'image du film de 1954 et l'affiche personnifient-elles les animaux de la ferme ?

📄 Comparer le texte et l'image

4 À quels moments de l'œuvre correspondent selon vous les images des deux films ? Justifiez votre réponse en vous appuyant sur des éléments précis.

5 Quelle remarque pouvez-vous faire sur la disposition des personnages de l'affiche de théâtre ? En quoi ce choix illustratif est-il à l'image de la ferme et de son organisation hiérarchique ?

✏ À vous de créer

6 🖱 Rendez-vous sur Internet à l'adresse suivante **http://www. allocine.fr/video/player_gen_cmedia=19377115&cfilm=109030.html** et visionnez la bande-annonce de l'adaptation de *La Ferme des animaux* de 1954. Présentez-en les caractéristiques à l'aide d'un diaporama (type d'adaptation, durée, réalisateur, choix d'adaptation, extraits, etc.).

7 À votre tour, imaginez la bande-annonce d'une adaptation de *La Ferme des animaux* et présentez-la sous la forme d'un story-board (découpage plan par plan illustré par des images et commenté par du texte).

Chapitre 4

À la fin de l'été, la nouvelle des événements avait gagné la moitié du pays. Chaque jour, Napoléon et Boule de Neige dépêchaient[1] des volées de pigeons voyageurs avec pour mission de se mêler aux autres animaux des fermes voisines. Ils leur faisaient le récit du soulèvement, leur apprenaient l'air de *Bêtes d'Angleterre*.

Pendant la plus grande partie de ce temps, Mr. Jones se tenait à Willingdon, assis à la buvette du Lion-Rouge, se plaignant à qui voulait l'entendre de la monstrueuse injustice dont il avait été victime quand l'avaient exproprié une bande d'animaux, de vrais propres à rien. Les autres fermiers, compatissants en principe, lui furent tout d'abord de médiocre secours[2]. Au fond d'eux-mêmes, ils se demandaient s'ils ne pourraient pas tirer profit de la mésaventure de Jones. Par chance, les propriétaires des deux fermes attenantes à[3] la sienne étaient en mauvais termes et toujours à se chamailler. L'une d'elles, Foxwood, était une vaste exploitation mal tenue et vieux jeu : pâturages chétifs[4], haies à l'abandon, halliers[5] envahissants. Quant au propriétaire : un Mr. Pilkington, *gentleman farmer*[6] qui donnait la plus grande partie

---

1. **Dépêchaient** : envoyaient.
2. **De médiocre secours** : d'aucune aide, de peu de soutien.
3. **Attenantes à** : situées à côté de.
4. **Chétifs** : en mauvais état.
5. **Halliés** : fourrés.
6. *Gentleman farmer* : littéralement, « gentilhomme fermier », homme de haute condition sociale qui n'exploite pas une ferme pour en vivre mais pour son plaisir.

de son temps à la chasse ou à la pêche, suivant la saison. L'autre
20 ferme, Pinchfield, plus petite mais mieux entretenue, appartenait
à un Mr. Frederick, homme décidé et retors[1], toujours en procès,
et connu pour sa dureté en affaires. Les deux propriétaires se
détestaient au point qu'il leur était malaisé de s'entendre, fût-ce
dans leur intérêt commun.

25 Ils n'en étaient pas moins épouvantés l'un comme l'autre par
le soulèvement des animaux, et très soucieux d'empêcher leurs
propres animaux d'en apprendre trop à ce sujet. Tout d'abord,
ils affectèrent de rire à l'idée de fermes gérées par les animaux
eux-mêmes. Quelque chose d'aussi extravagant on en verra la
30 fin en une quinzaine, disaient-ils. Ils firent courir le bruit qu'à la
Ferme du Manoir (que pour rien au monde ils n'auraient appelée
la Ferme des Animaux) les bêtes ne cessaient de s'entrebattre, et
bientôt seraient acculées[2] à la famine. Mais du temps passa : et les
animaux, à l'évidence, ne mouraient pas de faim. Alors Frederick
35 et Pilkington durent changer de refrain : cette exploitation n'était
que scandales et atrocités. Les animaux se livraient au cannibalisme,
se torturaient entre eux avec des fers à cheval chauffés à blanc,
et ils avaient mis en commun les femelles. Voilà où cela mène,
disaient Frederick et Pilkington, de se révolter contre les lois
40 de la nature.

Malgré tout, on n'ajouta jamais vraiment foi à ces récits.
Une rumeur gagnait même, vague, floue et captieuse[3], d'une
ferme magnifique, dont les humains avaient été éjectés et où
les animaux se gouvernaient eux-mêmes ; et, au fil des mois,
45 une vague d'insubordination[4] déferla dans les campagnes. Des
taureaux jusque-là dociles étaient pris de fureur noire. Les moutons
abattaient les haies pour mieux dévorer le trèfle. Les vaches

---

1. **Retors** : rusé.
2. **Acculées** : poussées.
3. **Captieuse** : trompeuse, cherchant à induire en erreur.
4. **Insubordination** : refus d'obéir.

ruaient, renversant les seaux. Les chevaux se dérobaient devant
l'obstacle, culbutant les cavaliers. Mais surtout, l'air et jusqu'aux
50 paroles de *Bêtes d'Angleterre* gagnaient partout du terrain. L'hymne
révolutionnaire s'était répandu avec une rapidité stupéfiante.
L'entendant, les humains ne dominaient plus leur fureur, tout en
prétendant qu'ils le trouvaient ridicule, sans plus. Il leur échappait,
disaient-ils, que même des animaux puissent s'abaisser à d'aussi
55 viles[1] bêtises. Tout animal surpris à chanter *Bêtes d'Angleterre* se
voyait sur-le-champ donner la bastonnade[2]. Et pourtant l'hymne
gagnait toujours du terrain, irrésistible : les merles le sifflaient dans
les haies, les pigeons le roucoulaient dans les ormes[3], il se mêlait
au tapage du maréchal-ferrant comme à la mélodie des cloches.
60 Et les humains à son écoute, en leur for intérieur[4], tremblaient
comme à l'annonce d'une prophétie funeste.

Au début d'octobre, une fois le blé coupé, mis en meules et
en partie battu[5], un vol de pigeons vint tourbillonner dans les
airs, puis, dans la plus grande agitation, se posa dans la cour de
65 la Ferme des Animaux. Jones et tous ses ouvriers, accompagnés
d'une demi-douzaine d'hommes de main de Foxwood et de Pinchfield, avaient franchi la clôture aux cinq barreaux et gagnaient la
maison par le chemin de terre. Tous étaient armés de gourdins,
sauf Jones, qui allait en tête, fusil en main. Sans nul doute, ils
70 entendaient reprendre possession des lieux.

À cela, on s'était attendu de longue date, et toutes précautions
étaient prises. Boule de Neige avait étudié les campagnes de Jules
César dans un vieux bouquin découvert dans le corps de logis,
et il dirigeait les opérations défensives. Promptement, il donna
75 ses ordres, et en peu de temps chacun fut à son poste.

---

1. **Viles** : mauvaises, basses.
2. **Bastonnade** : coups de bâton.
3. **Ormes** : grands arbres feuillus.
4. **En leur for intérieur** : au fond d'eux-mêmes.
5. **Mis en meules et en partie battu** : assemblé en tas et dont les grains ont été séparés des épis.

Comme les humains vont atteindre les dépendances, Boule de Neige lance sa première attaque. Les pigeons, au nombre de trente-cinq, survolent le bataillon ennemi à modeste altitude, et lâchent leurs fientes sur le crâne des assaillants. L'ennemi, surpris, doit bientôt faire face aux oies à l'embuscade derrière la haie, qui débouchent et chargent. Du bec, elles s'en prennent aux mollets. Encore ne sont-ce là qu'escarmouches[1] et menues[2] diversions ; bientôt, d'ailleurs, les humains repoussent les oies à grands coups de gourdins. Mais alors Boule de Neige lance sa seconde attaque. En personne, il conduit ses troupes à l'assaut, soit Edmée, la chèvre blanche, et tous les moutons. Et tous se ruent sur les hommes, donnant du boutoir[3] et de la corne, les harcelant de toutes parts. Cependant, un rôle particulier est dévolu à l'âne Benjamin, qui tourne sur lui-même et de ses petits sabots décoche ruade après ruade. Mais, une nouvelle fois, les hommes prennent le dessus, grâce à leurs gourdins et à leurs chaussures ferrées. À ce moment, Boule de Neige pousse un cri aigu, signal de la retraite, et tous les animaux de tourner casaque[4], de fuir par la grande porte et de gagner la cour. Les hommes poussent des clameurs de triomphe. Et, croyant l'ennemi en déroute, ils se précipitent çà et là à ses trousses.

C'est ce qu'avait escompté[5] Boule de Neige. Dès que les hommes se furent bien avancés dans la cour, à ce moment surgissent de l'arrière les trois chevaux, les trois vaches et le gros des cochons, jusque-là demeurés en embuscade dans l'étable. Les humains, pris à revers, voient leur retraite[6] coupée. Boule de Neige donne le signal de la charge, lui-même fonçant droit sur Jones. Celui-ci,

---

1. Escarmouches : attaques légères.
2. Menues : sans importance.
3. Boutoir : groin.
4. Tourner casaque : faire demi-tour.
5. Escompté : prévu.
6. Retraite : mouvement de repli.

prévenant l'attaque, lève son arme et tire. Les plombs se logent
105 dans l'échine de Boule de Neige et l'ensanglantent, et un mouton
est abattu, mort. Sans se relâcher, Boule de Neige se jette de
tout son poids (cent vingt kilos) dans les jambes du propriétaire
exproprié qui lâche son fusil et va bouler sur un tas de fumier.
Mais le plus horrifiant, c'est encore Malabar cabré sur ses pattes
110 de derrière et frappant du fer de ses lourds sabots avec une
vigueur d'étalon. Le premier coup, arrivé sur le crâne, expédie
un palefrenier[1] de Foxwood dans la boue, inerte. Voyant cela,
plusieurs hommes lâchent leur gourdin et tentent de fuir. C'est la
panique chez l'ennemi. Tous les animaux le prennent en chasse,
115 le traquent autour de la cour, l'assaillent du sabot et de la corne,
culbutant, piétinant les hommes. Et pas un animal qui, à sa façon,
ne tienne sa revanche, et même la chatte s'y met. Bondissant du
toit tout à trac sur les épaules d'un vacher, elle lui enfonce les
griffes dans le cou, ce qui lui arrache des hurlements. Mais, à un
120 moment, sachant la voie libre, les hommes filent hors de la cour,
puis s'enfuient sur la route, trop heureux d'en être quittes à bon
compte. Ainsi, à cinq minutes de l'invasion, et par le chemin même
qu'ils avaient pris, ils battaient en retraite, ignominieusement[2]
– un troupeau d'oies à leurs chausses[3] leur mordant les jarrets[4]
125 et sifflant des huées[5].

Plus d'hommes sur les lieux, sauf un, le palefrenier, gisant
la face contre terre. Revenu dans la cour, Malabar effleurait le
corps à petits coups de sabot, s'efforçant de le retourner sur le
dos. Le garçon ne bougeait plus.

130 «Il est mort, dit Malabar, tout triste. Ce n'était pas mon intention
de le tuer. J'avais oublié les fers de mes sabots. Mais qui voudra
croire que je ne l'ai pas fait exprès ?

---

1. **Palefrenier** : garçon d'écurie.
2. **Ignominieusement** : de façon humiliante.
3. **À leurs chausses** : à leurs trousses.
4. **Jarrets** : parties de la jambe situées derrière le genou.
5. **Huées** : cris de haine.

– Pas de sentimentalité, camarade! s'écria Boule de Neige dont les blessures saignaient toujours. La guerre, c'est la guerre. L'Homme
135 n'est à prendre en considération que changé en cadavre.

– Je ne veux assassiner personne, même pas un homme, répétait Malabar, en pleurs.

– Où est donc Edmée? » s'écria quelqu'un.

De fait, Edmée était invisible. Les animaux étaient dans tous
140 leurs états. Avait-elle été molestée[1] plus ou moins grièvement, ou peut-être même les hommes l'avaient-ils emmenée prisonnière? Mais à la fin on la retrouva dans son box. Elle s'y cachait, la tête enfouie dans le foin. Entendant une détonation, elle avait pris la fuite. Plus tard, quand les animaux revinrent dans la cour,
145 ce fut pour s'apercevoir que le garçon d'écurie, ayant repris connaissance, avait décampé[2].

De nouveau rassemblés, les animaux étaient au comble de l'émotion, et à tue-tête chacun racontait ses prouesses au combat. À l'improviste et sur-le-champ, la victoire fut célébrée. On hissa
150 les couleurs, on chanta *Bêtes d'Angleterre* plusieurs fois de suite, enfin le mouton qui avait donné sa vie à la cause fut l'objet de funérailles solennelles. Sur sa tombe on planta une aubépine. Au bord de la fosse, Boule de Neige prononça une brève allocution[3]: les animaux, déclara-t-il, doivent se tenir prêts à mourir pour
155 leur propre ferme.

À l'unanimité une décoration militaire fut créée, celle de Héros-Animal, Première Classe, et elle fut conférée[4] séance tenante[5] à Boule de Neige et à Malabar. Il s'agissait d'une médaille en cuivre (en fait, on l'avait trouvée dans la sellerie,
160 car autrefois elle avait servi de parure au collier des chevaux), à porter les dimanches et jours fériés. Une autre décoration,

---

1. Molestée: brutalisée.
2. Décampé: fui.
3. Allocution: discours.
4. Conférée: attribuée, décernée.
5. Séance tenante: aussitôt, sans plus attendre.

celle de Héros-Animal, Deuxième Classe, fut, à titre posthume[1], décernée au mouton.

Longtemps on discuta du nom à donner au combat, pour enfin retenir celui de bataille de l'Étable, vu que de ce point l'attaque victorieuse avait débouché. On ramassa dans la boue le fusil de Mr. Jones. Or on savait qu'il y avait des cartouches à la ferme. Aussi fut-il décidé de dresser le fusil au pied du mât, tout comme une pièce d'artillerie, et deux fois l'an de tirer une salve : le 12 octobre en souvenir de la bataille de l'Étable, et à la Saint-Jean d'été, jour commémoratif du Soulèvement.

---

1. **À titre posthume** : après sa mort.

L'hiver durait, et, de plus en plus, Lubie faisait des siennes. Chaque matin elle était en retard au travail, donnant pour excuse qu'elle ne s'était pas réveillée et se plaignant de douleurs singulières, en dépit d'un appétit robuste. Au moindre prétexte,
5 elle quittait sa tâche et filait à l'abreuvoir, pour s'y mirer[1] comme une sotte. Mais d'autres rumeurs plus alarmantes circulaient sur son compte. Un jour, comme elle s'avançait dans la cour, légère et trottant menu, minaudant[2] de la queue et mâchonnant du foin, Douce la prit à part.
10 « Lubie, dit-elle, j'ai à te parler tout à fait sérieusement. Ce matin, je t'ai vue regarder par-dessus la haie qui sépare de Foxwood la Ferme des Animaux. L'un des hommes de Mr. Pilkington se tenait de l'autre côté. Et… j'étais loin de là… j'en conviens… mais j'en suis à peu près certaine… j'ai vu qu'il te causait et te caressait le
15 museau. Qu'est-ce que ça veut dire, ces façons, Lubie ? »

Lubie se prit à piaffer[3] et à caracoler, et elle dit :

« Pas du tout ! Je lui causais pas ! Il m'a pas caressée ! C'est des mensonges !

– Lubie ! Regarde-moi bien en face. Donne-moi ta parole
20 d'honneur qu'il ne te caressait pas le museau.

---

1. **Mirer** : contempler.
2. **Minaudant** : faisant des manières.
3. **Piaffer** : frapper le sol des sabots.

– Des mensonges ! » répéta Lubie, mais elle ne put soutenir le regard de Douce, et l'instant d'après fit volte-face et fila au galop dans les champs.

Soudain Douce eut une idée. Sans s'en ouvrir aux autres[1], elle se rendit au box de Lubie et à coups de sabots retourna la paille : sous la litière, elle avait dissimulé une petite provision de morceaux de sucre, ainsi qu'abondance de rubans de différentes couleurs.

Trois jours plus tard, Lubie avait disparu. Et trois semaines durant on ne sut rien de ses pérégrinations[2]. Puis les pigeons rapportèrent l'avoir vue de l'autre côté de Willingdon, dans les brancards[3] d'une charrette anglaise peinte en rouge et noir, à l'arrêt devant une taverne. Un gros homme au teint rubicond[4], portant guêtres[5] et culotte de cheval[6], et ayant tout l'air d'un cabaretier[7], lui caressait le museau et lui donnait des sucres. Sa robe était tondue de frais et elle portait une mèche enrubannée d'écarlate. Elle avait l'air bien contente, à ce que dirent les pigeons. Par la suite, et à jamais, les animaux ignorèrent tout de ses faits et gestes.

En janvier, ce fut vraiment la mauvaise saison. Le froid vous glaçait les sangs, le sol était dur comme du fer, le travail aux champs hors de question. De nombreuses réunions se tenaient dans la grange, et les cochons étaient occupés à établir le plan de la saison prochaine. On en était venu à admettre que les cochons, étant manifestement les plus intelligents des animaux, décideraient à l'avenir de toutes questions touchant la politique de la ferme, sous réserve de ratification[8] à la majorité des voix. Cette méthode aurait assez bien fait l'affaire sans les

---

1. S'en ouvrir aux autres : en parler aux autres.
2. Pérégrinations : déplacements.
3. Brancards : attelages.
4. Rubicond : rouge.
5. Guêtres : morceaux de tissu ou de cuir qui recouvrent les mollets et une partie des cuisses.
6. Culotte de cheval : pantalon d'équitation.
7. Cabaretier : personne qui tient un petit bar ou un restaurant.
8. Ratification : validation officielle.

discussions entre Boule de Neige et Napoléon, mais tout sujet prêtant à contestation les opposait. L'un proposait-il un ensemencement[1] d'orge sur une plus grande superficie :
50 l'autre, immanquablement, plaidait pour l'avoine. Ou si l'un estimait tel champ juste ce qui convient aux choux : l'autre rétorquait betteraves. Chacun d'eux avait ses partisans, d'où la violence des débats. Lors des assemblées, Boule de Neige l'emportait souvent grâce à des discours brillants, mais entre-
55 temps Napoléon était le plus apte à rallier le soutien des uns et des autres. C'est auprès des moutons qu'il réussissait le mieux. Récemment, ceux-ci s'étaient pris à bêler avec grand intérêt le slogan révolutionnaire : *Quatrepattes, oui ! Deuxpattes, non !* à tout propos et hors de propos, et souvent ils interrompaient les
60 débats de cette façon. On remarqua leur penchant à entonner leur refrain aux moments cruciaux des discours de Boule de Neige. Celui-ci avait étudié de près de vieux numéros d'un hebdomadaire consacré au fermage et à l'élevage, qu'il avait dénichés dans le corps du bâtiment principal, et il débordait
65 de projets : innovations et perfectionnements. C'est en érudit[2] qu'il parlait ensilage, drainage des champs, ou même scories mécaniques[3]. Il avait élaboré un schéma compliqué : désormais les animaux déposeraient leurs fientes à même les champs – en un point différent chaque jour, afin d'épargner le transport.
70 Napoléon ne soumit aucun projet, s'en tenant à dire que les plans de Boule de Neige tomberaient en quenouille[4]. Il paraissait attendre son heure. Cependant, aucune de leurs controverses[5] n'atteignit en âpreté[6] celle du moulin à vent.

---

1. **Ensemencement** : action de semer le grain.
2. **Érudit** : personne très savante.
3. **Ensilage** : mise en réserve du grain pour l'hiver ; **drainage** : technique utilisée pour assécher une terre humide ; **scories mécaniques** : engrais distribués de façon automatique.
4. **Tomberaient en quenouille** : tomberaient dans l'oubli.
5. **Controverses** : désaccords.
6. **Âpreté** : dureté.

Dominant la ferme, un monticule se dressait dans un grand
75 pâturage proche des dépendances. Après avoir reconnu les lieux,
Boule de Neige affirma y voir l'emplacement idéal d'un moulin
à vent. Celui-ci, grâce à une génératrice[1], alimenterait la ferme
en électricité. Ainsi éclairerait-on écurie, étable et porcherie,
et les chaufferait-on en hiver. Le moulin actionnerait encore
80 un hache-paille, une machine à couper la betterave, une scie
circulaire, et il permettrait la traite mécanique. Les animaux
n'avaient jamais entendu parler de rien de pareil (car cette ferme
vieillotte n'était pourvue que de l'outillage le plus primitif). Aussi
écoutaient-ils avec stupeur Boule de Neige évoquant toutes ces
85 machines mirifiques[2] qui feraient l'ouvrage à leur place tandis
qu'ils paîtraient[3] à loisir ou se cultiveraient l'esprit par la lecture
et la conversation.

En quelques semaines, Boule de Neige mit définitivement au
point ses plans. La plupart des détails techniques étaient empruntés
90 à trois livres ayant appartenu à Mr. Jones: un manuel du bricoleur,
un autre du maçon, un cours d'électricité pour débutants. Il
avait établi son cabinet de travail dans une couveuse[4] artificielle
aménagée en appentis[5]. Le parquet lisse de l'endroit étant propice
à qui veut dresser des plans, il s'enfermait là des heures durant:
95 une pierre posée sur les livres pour les tenir ouverts, un morceau
de craie fixé à la patte, allant et venant, traçant des lignes, et de
temps à autre poussant de petits grognements enthousiastes. Les
plans se compliquèrent au point de bientôt n'être qu'un amas
de manivelles et pignons[6], couvrant plus de la moitié du parquet.
100 Les autres animaux, absolument dépassés, étaient transportés
d'admiration. Une fois par jour au moins, tous venaient voir ce

---

1. **Génératrice**: machine qui transforme l'énergie mécanique en énergie électrique.
2. **Mirifiques**: fabuleuses.
3. **Paîtraient**: brouteraient.
4. **Couveuse**: appareil permettant de couver les œufs artificiellement.
5. **Appentis**: cabane servant de remise.
6. **Pignons**: pièces métalliques.

qu'il était en train de dessiner, et même les poules et canards, qui prenaient grand soin de contourner les lignes tracées à la craie. Seul Napoléon se tenait à l'écart. Dès qu'il en avait été
105 question, il s'était déclaré hostile au moulin à vent. Un jour, néanmoins, il se présenta à l'improviste, pour examiner les plans. De sa démarche lourde, il arpenta la pièce, braquant un regard attentif sur chaque détail, et il renifla de dédain une fois ou deux. Un instant, il s'arrêta à lorgner le travail du coin de l'œil, et
110 soudain il leva la patte et incontinent compissa[1] le tout. Ensuite, il sortit sans dire mot.

Toute la ferme était profondément divisée sur la question du moulin à vent. Boule de Neige ne niait pas que la construction en serait malaisée. Il faudrait extraire la pierre de la carrière pour en
115 bâtir les murs, puis fabriquer les ailes, ensuite il faudrait encore se procurer les dynamos[2] et les câbles. (Comment ? Il se taisait là-dessus.) Pourtant, il ne cessait d'affirmer que le tout serait achevé en un an. Dans la suite, il déclara que l'économie en main-d'œuvre permettrait aux animaux de ne plus travailler que trois
120 jours par semaine. Napoléon, quant à lui, arguait[3] que l'heure était à l'accroissement de la production alimentaire. Perdez votre temps, disait-il, à construire un moulin à vent, et tout le monde crèvera de faim. Les animaux se constituèrent en factions[4] rivales, avec chacune son mot d'ordre, pour l'une : « Votez pour Boule de
125 Neige et la semaine de trois jours ! », pour l'autre : « Votez pour Napoléon et la mangeoire pleine ! » Seul Benjamin ne s'enrôla sous aucune bannière. Il se refusait à croire à l'abondance de nourriture comme à l'extension des loisirs. Moulin à vent ou pas, disait-il, la vie continuera pareil – mal, par conséquent.
130 Outre les controverses sur le moulin à vent, se posait le problème de la défense de la ferme. On se rendait pleinement compte que

---

1. **Incontinent** : aussitôt ; **compissa** : urina sur.
2. **Dynamos** : petites génératrices (voir note 1, p. 58).
3. **Arguait** : donnait comme argument.
4. **Factions** : groupes.

les humains, bien qu'ils eussent été défaits à la bataille de l'Étable, pourraient bien revenir à l'assaut, avec plus de détermination cette fois, pour rétablir Mr. Jones à la tête du domaine. Ils y auraient
135 été incités d'autant plus que la nouvelle de leur débâcle[1] avait gagné les campagnes, rendant plus récalcitrants[2] que jamais les animaux des fermes.

Comme à l'accoutumée[3], Boule de Neige et Napoléon s'opposaient. Suivant Napoléon, les animaux de la ferme devaient se procurer
140 des armes et s'entraîner à s'en servir. Suivant Boule de Neige, ils devaient dépêcher vers les terres voisines un nombre de pigeons toujours accru afin de fomenter[4] la révolte chez les animaux des autres exploitations. Le premier soutenait que, faute d'être à même de se défendre, les animaux de la ferme couraient au désastre :
145 le second, que des soulèvements en chaîne auraient pour effet de détourner l'ennemi de toute tentative de reconquête. Les animaux écoutaient Napoléon, puis Boule de Neige, mais ils ne savaient pas à qui donner raison. De fait, ils étaient toujours de l'avis de qui parlait le dernier.
150 Le jour vint où les plans de Boule de Neige furent achevés. À l'assemblée tenue le dimanche suivant, la question fut mise aux voix : fallait-il ou non commencer la construction du moulin à vent ? Une fois les animaux réunis dans la grange, Boule de Neige se leva et, quoique interrompu de temps à autre par les
155 bêlements des moutons, exposa les raisons qui plaidaient en faveur du moulin à vent. Puis Napoléon se leva à son tour. Le moulin à vent, déclara-t-il avec beaucoup de calme, est une insanité[5]. Il déconseillait à tout le monde de voter le projet. Et, ayant tranché, il se rassit n'ayant pas parlé trente secondes, et semblant ne
160 guère se soucier de l'effet produit. Sur quoi Boule de Neige

---

1. **Débâcle** : défaite.
2. **Récalcitrants** : désobéissants, insoumis.
3. **Comme à l'accoutumée** : comme d'habitude.
4. **Fomenter** : préparer secrètement.
5. **Insanité** : ici, sottise, folie.

bondit. Ayant fait taire les moutons qui s'étaient repris à bêler, il se lança dans un plaidoyer[1] d'une grande passion en faveur du moulin à vent. Jusque-là, l'opinion flottait, partagée en deux. Mais bientôt les animaux furent transportés par l'éloquence de
165 Boule de Neige qui, en termes flamboyants, brossa un tableau du futur à la Ferme des Animaux. Plus de travail sordide, plus d'échines ployées sous le fardeau ! Et l'imagination aidant, Boule de Neige, loin désormais des hache-paille et des coupe-betteraves, loua hautement l'électricité. Celle-ci, proclamait-il, actionnera
170 batteuse et charrues, herses[2] et moissonneuses-lieuses. En outre, elle permettra d'installer dans les étables la lumière, le chauffage, l'eau courante chaude et froide. Quand il se rassit, nul doute ne subsistait sur l'issue du vote. À ce moment, toutefois, Napoléon se leva, jeta sur Boule de Neige un regard oblique et singulier,
175 et poussa un gémissement dans l'aigu que personne ne lui avait encore entendu pousser.

Sur quoi ce sont dehors des aboiements affreux, et bientôt se ruent à l'intérieur de la grange neuf molosses[3] portant des colliers incrustés de cuivre. Ils se jettent sur Boule de Neige,
180 qui de justesse échappe à leurs crocs. L'instant d'après, il avait passé la porte, les chiens à ses trousses. Alors, trop abasourdis et épouvantés pour élever la voix, les animaux se pressèrent en cohue vers la sortie, pour voir la poursuite. Boule de Neige détalait par le grand pâturage qui mène à la route. Il courait comme
185 seul un cochon peut courir, les chiens sur ses talons. Mais tout à coup voici qu'il glisse, et l'on croit que les chiens sont sur lui. Alors il se redresse, et file d'un train encore plus vif. Les chiens regagnent du terrain, et l'un d'eux, tous crocs dehors, est sur le point de lui mordre la queue quand, de justesse, il l'esquive.

---

1. **Plaidoyer** : discours de défense.
2. **Herses** : machines utilisées pour briser les mottes de terre après le labour.
3. **Molosses** : gros chiens de garde.

190 Puis, dans un élan suprême, Boule de Neige se faufile par un trou dans la haie, et on ne le revit plus.

En silence, terrifiés, les animaux regagnaient la grange. Bientôt les chiens revenaient, et toujours au pas accéléré. Tout d'abord, personne ne soupçonna d'où ces créatures pouvaient bien venir,
195 mais on fut vite fixé : car c'étaient là les neuf chiots que Napoléon avait ravis à leurs mères et élevés en secret. Pas encore tout à fait adultes, déjà c'étaient des bêtes énormes, avec l'air féroce des loups. Ces molosses se tenaient aux côtés de Napoléon, et l'on remarqua qu'ils frétillaient de la queue à son intention, comme
200 ils avaient l'habitude de faire avec Jones.

Napoléon, suivi de ses molosses, escaladait maintenant l'aire surélevée du plancher d'où Sage l'Ancien, naguère, avait prononcé son discours. Il annonça que dorénavant il ne se tiendrait plus d'assemblées du dimanche matin. Elles ne servaient à rien, déclara-
205 t-il – pure perte de temps. À l'avenir, toutes questions relatives à la gestion de la ferme seraient tranchées par un comité de cochons, sous sa propre présidence. Le comité se réunirait en séances privées, après quoi les décisions seraient communiquées aux autres animaux. On continuerait de se rassembler le dimanche matin
210 pour le salut au drapeau, chanter *Bêtes d'Angleterre* et recevoir les consignes de la semaine. Mais les débats publics étaient abolis.

Encore sous le choc de l'expulsion de Boule de Neige, entendant ces décisions les animaux furent consternés. Plusieurs d'entre eux auraient protesté si des raisons probantes[1] leur étaient
215 venues à l'esprit. Même Malabar était désemparé, à sa façon confuse. Les oreilles rabattues et sa mèche lui fouettant le visage, il essayait bien de rassembler ses pensées, mais rien ne lui venait. Toutefois, il se produisit des remous dans le clan même des cochons, chez ceux d'esprit délié[2]. Au premier rang, quatre jeunes
220 gorets piaillèrent leurs protestations, et, dressés sur leurs pattes

---

1. **Probantes** : convaincantes.
2. **Délié** : subtil.

de derrière, incontinent ils se donnèrent la parole. Soudain, menaçants et sinistres, les chiens assis autour de Napoléon se prirent à grogner, et les porcelets se turent et se rassirent. Puis ce fut le bêlement formidable du chœur des moutons : *Quatrepattes,*
225 *oui ! Deuxpattes, non !* qui se prolongea presque un quart d'heure, ruinant toute chance de discussion.

Par la suite, Brille-Babil fut chargé d'expliquer aux animaux les dispositions nouvelles.

« Camarades, disait-il, je suis sûr que chaque animal apprécie à
230 sa juste valeur le sacrifice consenti par le camarade Napoléon à qui va incomber une tâche supplémentaire. N'allez pas imaginer, camarades, que gouverner est une partie de plaisir ! Au contraire, c'est une lourde, une écrasante responsabilité. De l'égalité de tous les animaux, nul n'est plus fermement convaincu que
235 le camarade Napoléon. Il ne serait que trop heureux de s'en remettre à vous de toutes décisions. Mais il pourrait vous arriver de prendre des décisions erronées[1], et où cela mènerait-il alors ? Supposons qu'après avoir écouté les billevesées[2] du moulin à vent vous ayez pris le parti de suivre Boule de Neige qui, nous
240 le savons aujourd'hui, n'était pas plus qu'un criminel ?

– Il s'est conduit en brave à la bataille de l'Étable, dit quelqu'un.

– La bravoure ne suffit pas, reprit Brille-Babil. La loyauté et l'obéissance passent avant. Et, pour la bataille de l'Étable, le temps viendra, je le crois, où l'on s'apercevra que le rôle de
245 Boule de Neige a été très exagéré. De la discipline, camarades, une discipline de fer ! Tel est aujourd'hui le mot d'ordre. Un seul faux pas, et nos ennemis nous prennent à la gorge. À coup sûr, camarades, vous ne désirez pas le retour de Jones ? »

Une fois de plus, l'argument était sans réplique. Les animaux,
250 certes, ne voulaient pas du retour de Jones. Si les débats du dimanche matin étaient susceptibles de le ramener, alors, qu'on y

---

1. **Erronées** : incohérentes, aberrantes.
2. **Billevesées** : propos incohérents.

mette un terme. Malabar, qui maintenant pouvait méditer à loisir, exprima le sentiment général : « Si c'est le camarade Napoléon qui l'a dit, ce doit être vrai. » Et, de ce moment, en plus de sa devise propre : « Je vais travailler plus dur », il prit pour maxime : « Napoléon ne se trompe jamais. »

Le temps se radoucissait, on avait commencé les labours de printemps. L'appentis où Boule de Neige avait dressé ses plans du moulin avait été condamné. Quant aux plans mêmes, on se disait que le parquet n'en gardait pas trace. Et chaque dimanche matin, à dix heures, les animaux se réunissaient dans la grange pour recevoir les instructions hebdomadaires. On avait déterré du verger le crâne de Sage l'Ancien, désormais dépouillé de toute chair, afin de l'exposer sur une souche au pied du mât, à côté du fusil. Après le salut au drapeau, et avant d'entrer dans la grange, les animaux étaient requis de défiler devant le crâne, en signe de vénération[1]. Une fois dans la grange, désormais ils ne s'asseyaient plus, comme dans le passé, tous ensemble. Napoléon prenait place sur le devant de l'estrade, en compagnie de Brille et de Minimus (un autre cochon, fort doué, lui, pour composer chansons et poèmes). Les neuf molosses se tenaient autour d'eux en demi-cercle, et le reste des cochons s'asseyaient derrière eux, les autres animaux leur faisant face. Napoléon donnait lecture des consignes de la semaine sur un ton bourru[2] et militaire. On entonnait *Bêtes d'Angleterre*, une seule fois, et c'était la dispersion.

Le troisième dimanche après l'expulsion de Boule de Neige, les animaux furent bien étonnés d'entendre, de la bouche de Napoléon, qu'on allait construire le moulin, après tout. Napoléon ne donna aucune raison à l'appui de ce retournement, se contentant d'avertir les animaux qu'ils auraient à travailler très dur. Et peut-être serait-il même nécessaire de réduire les rations. En tout état de cause, le plan avait été minutieusement préparé dans les

---

1. **Vénération** : profond respect pour une chose sacrée.
2. **Bourru** : rude.

moindres détails. Un comité de cochons constitué à cet effet lui avait consacré les trois dernières semaines. Jointe à différentes
285 autres améliorations, la construction du moulin devrait prendre deux ans.

Ce soir-là, Brille-Babil prit à part les autres animaux, leur expliquant que Napoléon n'avait jamais été vraiment hostile au moulin. Tout au contraire, il l'avait préconisé le tout premier.
290 Et, pour les plans dessinés par Boule de Neige sur le plancher de l'ancienne couveuse, ils avaient été dérobés dans les papiers de Napoléon. Bel et bien, le moulin à vent était en propre l'œuvre de Napoléon. Pourquoi donc, s'enquit alors quelqu'un, Napoléon s'est-il élevé aussi violemment contre la construction de ce moulin ?
295 À ce point, Brille-Babil prit son air le plus matois[1], disant combien c'était astucieux de Napoléon d'avoir *paru* hostile au moulin – un simple artifice pour se défaire de Boule de Neige, un individu pernicieux[2], d'influence funeste. Celui-ci évincé[3], le projet pourrait se matérialiser sans entraves[4] puisqu'il ne s'en mêlerait plus. Cela,
300 dit Brille-Babil, c'est ce qu'on appelle la tactique. À plusieurs reprises, sautillant et battant l'air de sa queue et se pâmant de rire, il déclara : « De la tactique, camarades, de la tactique ! » Ce mot laissait les animaux perplexes, mais ils acceptèrent les explications sans plus insister : tant Brille-Babil s'exprimait de
305 façon persuasive, et tant grognaient d'un air menaçant les trois molosses qui se trouvaient être de sa compagnie.

---

1. **Matois** : rusé.
2. **Pernicieux** : dangereux, nuisible.
3. **Évincé** : éliminé.
4. **Entraves** : problèmes, obstacles.

Toute l'année, les animaux trimèrent comme des esclaves, mais leur travail les rendait heureux. Ils ne rechignaient ni à la peine ni au sacrifice, sachant bien que, de tout le mal qu'ils se donnaient, eux-mêmes recueilleraient les fruits, ou à défaut
5 leur descendance – et non une bande d'humains désœuvrés[1], tirant les marrons du feu[2].

Tout le printemps et pendant l'été, ce fut la semaine de soixante heures, et en août Napoléon fit savoir qu'ils auraient à travailler aussi les après-midi du dimanche. Ce surcroît[3] d'effort leur était
10 demandé à titre tout à fait volontaire, étant bien entendu que tout animal qui se récuserait[4] aurait ses rations réduites de moitié. Même ainsi, certaines tâches durent être abandonnées. La moisson fut un peu moins belle que l'année précédente, et deux champs, qu'il eût fallu ensemencer de racines au début de l'été, furent
15 laissés en jachère[5], faute d'avoir pu achever les labours en temps voulu. On pouvait s'attendre à un rude hiver.

Le moulin à vent présentait des difficultés inattendues. Il y avait bien une carrière sur le territoire de la ferme, ainsi qu'abondance de sable et de ciment dans une des remises: les matériaux étaient

---

1. Désœuvrés: sans occupation.
2. Tirant les marrons du feu: tirant profit d'une situation.
3. Surcroît: augmentation.
4. Se récuserait: refuserait.
5. Jachère: procédé qui consiste à laisser reposer la terre en ne la cultivant pas pendant une certaine période.

20   donc à pied d'œuvre[1]. Mais les animaux butèrent tout d'abord
sur le problème de la pierre à morceler en fragments utilisables:
comment s'y prendre? Pas autrement, semblait-il, qu'à l'aide
de leviers et de pics. Voilà qui les dépassait, aucun d'eux ne
pouvant se tenir longtemps debout sur ses pattes de derrière. Il
25 s'écoula plusieurs semaines en efforts vains avant que quelqu'un
ait l'idée juste: utiliser la loi de la pesanteur. D'énormes blocs,
bien trop gros pour être employés tels quels, reposaient sur le
lit de la carrière. Les animaux les entourèrent de cordes, puis
tous ensemble, vaches, chevaux, moutons, et chacun de ceux
30 qui pouvaient tenir une corde (et même les cochons prêtaient
patte forte aux moments cruciaux) se prirent à hisser ces blocs
de pierre, avec une lenteur désespérante, jusqu'au sommet de
la carrière. De là, basculés par-dessus bord, ils se fracassaient
en morceaux au contact du sol. Une fois ces pierres brisées, le
35 transport en était relativement aisé. Les chevaux les charriaient
par tombereaux[2], les moutons les traînaient, un moellon[3] à la
fois; Edmée la chèvre et Benjamin l'âne en étaient aussi: attelés
à une vieille patache[4] et payant de leur personne. Sur la fin de
l'été on disposait d'assez de pierres pour que la construction
40 commence. Les cochons supervisaient.

    Lent et pénible cours de ces travaux. C'est souvent qu'il fallait
tout un jour d'efforts harassants[5] pour tirer un seul bloc de pierre
jusqu'au faîte[6] de la carrière, et même parfois il ne se brisait pas
au sol. Les animaux ne seraient pas parvenus à bout de leur tâche
45 sans Malabar dont la force semblait égaler celle additionnée de
tous les autres. Quand le bloc de pierre se mettait à glisser et que
les animaux, emportés dans sa chute sur le flanc de la colline,

---

1. À pied d'œuvre: sur le terrain.
2. Les charriaient par tombereaux: les transportaient par charrettes.
3. Moellon: pierre.
4. Patache: chariot inconfortable.
5. Harassants: extrêmement fatigants.
6. Faîte: sommet.

hurlaient la mort, c'était lui toujours qui l'arrêtait à temps, arc-bouté de tout son corps. Et chacun était saisi d'admiration, le voyant
50 ahaner[1], et pouce à pouce gagner du terrain – tout haletant, ses flancs immenses couverts de sueur, la pointe des sabots tenant dru au sol. Douce parfois lui disait de ne pas s'éreinter pareillement, mais lui ne voulait rien entendre. Ses deux mots d'ordre : «Je vais travailler plus dur» et «Napoléon ne se trompe jamais»
55 lui semblaient une réponse suffisante à tous les problèmes. Il s'était arrangé avec le jeune coq pour que celui-ci le réveille trois quarts d'heure à l'avance au lieu d'une demi-heure. De plus, à ses moments perdus – mais il n'en avait plus guère – il se rendait à la carrière pour y ramasser une charretée de pierraille qu'il
60 tirait tout seul jusqu'à l'emplacement du moulin.

Malgré la rigueur du travail, les animaux n'eurent pas à pâtir[2] de tout l'été. S'ils n'étaient pas mieux nourris qu'au temps de Jones, en tout cas ils ne l'étaient pas moins. L'avantage de subvenir à leurs seuls besoins – indépendamment de ceux, extravagants, de
65 cinq êtres humains – était si considérable que, pour le perdre, il eût fallu accumuler beaucoup d'échecs. De bien des manières, la méthode animale était la plus efficace, et elle économisait du travail. Le sarclage[3], par exemple, pouvait se faire avec une minutie impossible chez les humains. Et les animaux s'interdisant
70 désormais de chaparder, il était superflu de séparer par des clôtures les pâturages des labours, de sorte qu'il n'y avait plus lieu d'entretenir haies et barrières. Malgré tout, comme l'été avançait, différentes choses commencèrent à faire défaut sans qu'on s'y fût attendu : huile de paraffine[4], clous, ficelle, biscuits
75 pour les chiens, fers du maréchal-ferrant – tous produits qui ne pouvaient pas être fabriqués à la ferme. Plus tard, on aurait besoin encore de graines et d'engrais artificiels, sans compter

---

1. **Ahaner** : haleter.
2. **Pâtir** : souffrir.
3. **Sarclage** : désherbage.
4. **Paraffine** : graisse minérale.

différents outils et la machinerie du moulin. Comment se procurer le nécessaire ? C'est ce dont personne n'avait la moindre idée.

80   Un dimanche matin que les animaux étaient rassemblés pour recevoir leurs instructions, Napoléon annonça qu'il avait arrêté une ligne politique nouvelle. Dorénavant la Ferme des Animaux entretiendrait des relations commerciales avec les fermes du voisinage : non pas, bien entendu, pour faire du négoce, mais 85 simplement pour se procurer certaines fournitures d'urgente nécessité. Ce qu'exigeait la construction du moulin devait, dit-il, primer[1] toute autre considération. Aussi était-il en pourparlers[2] pour vendre une meule de foin et une partie de la récolte de blé. Plus tard, en cas de besoin d'argent, il faudrait vendre des 90 œufs (on peut les écouler au marché de Willingdon). Les poules, déclara Napoléon, devaient se réjouir d'un sacrifice qui serait leur quote-part[3] à l'édification du moulin à vent.

    Une fois encore les animaux éprouvèrent une vague inquiétude. Ne jamais entrer en rapport avec les humains, ne jamais faire 95 de commerce, ne jamais faire usage d'argent – n'était-ce pas là certaines des résolutions prises à l'assemblée triomphale qui avait suivi l'expulsion de Jones ? Tous les animaux se rappelaient les avoir adoptées : ou du moins ils croyaient en avoir gardé le souvenir. Les quatre jeunes gorets qui avaient protesté quand Napoléon 100 avait supprimé les assemblées élevèrent timidement la voix, mais pour être promptement réduits au silence et comme foudroyés par les grognements des chiens. Puis, comme d'habitude, les moutons lancèrent l'antienne[4] : *Quatrepattes, oui ! Deuxpattes, non !*, et la gêne passagère en fut dissipée. Finalement, Napoléon dressa la 105 patte pour réclamer le silence et fit savoir que toutes dispositions étaient déjà prises. Il n'y aurait pas lieu pour les animaux d'entrer en relation avec les humains, ce qui manifestement serait on ne

---

1. **Primer** : surpasser, valoir plus que.
2. **Pourparlers** : négociations.
3. **Quote-part** : contribution.
4. **Antienne** : refrain.

peut plus mal venu. De ce fardeau il se chargerait lui-même. Un certain Mr. Whymper, avoué[1] à Willingdon, avait accepté de servir d'intermédiaire entre la Ferme des Animaux et le monde extérieur, et chaque lundi matin il viendrait prendre les directives. Napoléon termina son discours de façon coutumière, s'écriant : «Vive la Ferme des Animaux!» Et, après avoir entonné *Bêtes d'Angleterre*, on rompit les rangs[2].

Ensuite, Brille-Babil fit le tour de la ferme afin d'apaiser les esprits. Il assura aux animaux que la résolution condamnant le commerce et l'usage de l'argent n'avait jamais été passée, ou même proposée. C'était là pure imagination, ou alors une légende née des mensonges de Boule de Neige. Et comme un léger doute subsistait dans quelques esprits, Brille-Babil, en personne astucieuse, leur demanda : «Êtes-vous tout à fait sûrs, camarades, que vous n'avez pas rêvé? Pouvez-vous faire état d'un document, d'un texte consigné sur un registre ou l'autre?» Et comme assurément n'existait aucun écrit consigné, les animaux furent convaincus de leur erreur.

Comme convenu, Mr. Whymper se rendait chaque lundi à la ferme. C'était un petit homme à l'air retors, et qui portait des favoris[3] – un avoué dont l'étude ne traitait que de piètres affaires. Cependant, il était bien assez finaud[4] pour avoir compris avant tout autre que la Ferme des Animaux aurait besoin d'un courtier[5], et les commissions[6] ne seraient pas négligeables. Les animaux observaient ses allées et venues avec une sorte d'effroi, et ils l'évitaient autant que possible. Néanmoins, voir Napoléon, un quatrepattes, donner des ordres à ce deuxpattes, réveilla leur orgueil et les réconcilia en partie avec les dispositions nouvelles.

---

1. **Avoué** : avocat.
2. **Rompit les rangs** : se dispersa.
3. **Favoris** : pattes de barbe qui poussent sur chaque côté du visage.
4. **Finaud** : futé.
5. **Courtier** : intermédiaire dans des échanges commerciaux.
6. **Commissions** : ici, pourcentages des ventes touchés par le courtier.

Leurs relations avec la race humaine n'étaient plus tout à fait les mêmes que par le passé. Les humains ne haïssaient pas moins la Ferme des Animaux de la voir prendre un certain essor : à la vérité, ils la haïssaient plus que jamais. Chacun d'eux avait tenu
140 pour article de foi[1] que la ferme ferait faillite à plus ou moins brève échéance[2] ; et quant au moulin à vent, il était voué à l'échec. Dans leurs tavernes, ils se prouvaient les uns aux autres, schémas à l'appui, que fatalement il s'écroulerait, ou qu'à défaut il ne fonctionnerait jamais. Et pourtant, ils en étaient venus, à leur corps
145 défendant, à un certain respect pour l'aptitude de ces animaux à gérer leurs propres affaires. Ainsi désignaient-ils maintenant la Ferme des Animaux sous son nom, sans plus feindre de croire qu'elle fût la Ferme du Manoir. Et de même avaient-ils renoncé à défendre la cause de Jones ; celui-ci, ayant perdu tout espoir
150 de rentrer dans ses biens, s'en était allé vivre ailleurs.

Sauf par le truchement[3] de Whymper, il n'avait pas été établi de relations entre la Ferme des Animaux et le monde étranger, mais un bruit circulait avec insistance : Napoléon aurait été sur le point de passer un marché avec soit Mr. Pilkington de Foxwood,
155 soit Mr. Frederick de Pinchfield – mais en aucun cas, ainsi qu'on en fit la remarque, avec l'un et l'autre en même temps.

Vers ce temps-là, les cochons emménagèrent dans la maison d'habitation dont ils firent leurs quartiers. Une fois encore, les animaux crurent se ressouvenir qu'une résolution contre ces
160 pratiques avait été votée, dans les premiers jours, mais une fois encore Brille-Babil parvint à les convaincre qu'il n'en était rien. Il est d'absolue nécessité, expliqua-t-il, que les cochons, têtes pensantes de la ferme, aient à leur disposition un lieu paisible où travailler. Il est également plus conforme à la dignité du chef
165 (car depuis peu il lui était venu de conférer la dignité de chef à

---

1. Tenu pour article de foi : soutenu avec conviction.
2. À plus ou moins brève échéance : tôt ou tard.
3. Truchement : intermédiaire.

Napoléon) de vivre dans une maison que dans une porcherie.
Certains animaux furent troublés d'apprendre, non seulement
que les cochons prenaient leur repas à la cuisine et avaient fait
du salon leur salle de jeux, mais aussi qu'ils dormaient dans des
170 lits. Comme de coutume, Malabar en prit son parti – «Napoléon
ne se trompe jamais» –, mais Douce, croyant se rappeler une
interdiction expresse à ce sujet, se rendit au fond de la grange et
tenta de déchiffrer les Sept Commandements inscrits là. N'étant
à même que d'épeler les lettres une à une, elle s'en alla quérir
175 Edmée.

«Edmée, dit-elle, lis-moi donc le Quatrième Commandement.
N'y est-il pas question de ne jamais dormir dans un lit?»

Edmée épelait malaisément les lettres. Enfin :

«Ça dit. *Aucun animal ne dormira dans un lit avec des draps.*»

180 Chose curieuse, Douce ne se rappelait pas qu'il eût été question
de draps dans le Quatrième Commandement, mais puisque c'était
inscrit sur le mur il fallait se rendre à l'évidence. Sur quoi, Brille-
Babil vint à passer par là avec deux ou trois chiens, et il fut à
même d'expliquer l'affaire sous son vrai jour :

185 «Vous avez donc entendu dire, camarades, que nous, les cochons,
dormons maintenant dans les lits de la maison? Et pourquoi
pas? Vous n'allez tout de même pas croire à l'existence d'un
règlement qui proscrive les *lits*? Un lit, ce n'est jamais qu'un
lieu où dormir. Le tas de paille d'une écurie, qu'est-ce que c'est,
190 à bien comprendre, sinon un lit? L'interdiction porte sur les
draps, lesquels sont d'invention humaine. Or nous avons enlevé
les draps des lits et nous dormons entre des couvertures. Ce
sont là des lits où l'on est très bien, mais pas outre mesure, je
vous en donne mon billet[1], camarades, avec ce travail de tête
195 qui désormais nous incombe. Vous ne voudriez pas nous ôter le
sommeil réparateur, hein, camarades? Vous ne voudriez pas que

---

1. **Je vous en donne mon billet** : je vous le garantis.

nous soyons exténués au point de ne plus faire face à la tâche ?
Sans nul doute, aucun de vous ne désire le retour de Jones ? »

200 Les animaux le rassurèrent sur ce point, et ainsi fut clos le chapitre des lits. Et nulle contestation non plus lorsque, quelques jours plus tard, il fut annoncé qu'à l'avenir les cochons se lèveraient une heure plus tard que les autres.

L'automne venu au terme d'une saison de travail éprouvante,
205 les animaux étaient fourbus[1] mais contents. Après la vente d'une partie du foin et du blé, les provisions pour l'hiver n'étaient pas fort abondantes, mais le moulin contrebalançait toute déconvenue[2]. Il était maintenant presque à demi bâti. Après la moisson, un temps sec sous un ciel dégagé fit que les animaux trimèrent plus dur que jamais : car, se disaient-ils, il valait bien la peine
210 de charroyer[3] tout le jour des quartiers de pierre, si, ce faisant, on exhaussait[4] d'un pied[5] les murs du moulin. Malabar allait même au travail tout seul, certaines nuits, une heure ou deux, sous le clair de lune de septembre. Et, à leurs heures perdues, les animaux faisaient le tour du moulin en construction, à n'en
215 plus finir, en admiration devant la force et l'aplomb des murs, et s'admirant eux-mêmes d'avoir dressé un ouvrage imposant tel que celui-là. Seul le vieux Benjamin se refusait à l'enthousiasme, sans toutefois rien dire que de répéter ses remarques sibyllines sur la longévité[6] de son espèce.

220 Ce fut novembre et les vents déchaînés du Sud-Ouest. Il fallut arrêter les travaux, car avec le temps humide on ne pouvait plus malaxer le ciment. Une nuit enfin la tempête souffla si fort que les bâtiments de la ferme vacillèrent sur leurs assises, et plusieurs tuiles du toit de la grange furent emportées. Les

---

1. **Fourbus** : très fatigués.
2. **Déconvenue** : déception.
3. **Charroyer** : transporter.
4. **Exhaussait** : surélevait.
5. **Pied** : unité de longueur britannique (1 pied correspond à environ 30 centimètres).
6. **Longévité** : durée de vie.

225 poules endormies sursautèrent, caquetant d'effroi. Toutes dans un même rêve croyaient entendre la lointaine décharge d'un fusil. Au matin les animaux une fois dehors s'aperçurent que le mât avait été abattu, et un orme, au bas du verger, arraché au sol comme un simple radis. Ils en étaient là de leurs découvertes,
230 qu'un cri désespéré leur échappa. C'est qu'ils avaient sous les yeux quelque chose d'insoutenable : le moulin en ruine.

D'un commun accord ils se ruèrent sur le lieu du désastre. Napoléon, dont ce n'était pas l'habitude de hâter le pas, courait devant. Et, oui, gisait là le fruit de tant de luttes : ces murs rasés
235 jusqu'aux fondations, et ces pierres éparpillées que si péniblement ils avaient cassées et charriées ! Stupéfaits, les animaux jetaient un regard de deuil sur ces éboulis[1]. En silence, Napoléon arpentait le terrain de long en large, reniflant de temps à autre, la queue crispée battant de droite et de gauche, ce qui chez lui était l'indice
240 d'une grande activité de tête. Soudain il fit halte, et il fallait croire qu'il avait arrêté son parti[2] :

« Camarades, dit-il, savez-vous qui est le fautif ? L'ennemi qui s'est présenté à la nuit et a renversé notre moulin à vent ? C'est Boule de Neige ! rugit Napoléon.
245 Oui, enchaîna-t-il, c'est Boule de Neige, par pure malignité, pour contrarier nos plans, et se venger de son ignominieuse[3] expulsion. Lui, le traître ! À la faveur des ténèbres, il s'est faufilé jusqu'ici et a ruiné d'un coup un an bientôt de notre labeur.

Camarades, de ce moment, je décrète la condamnation à mort
250 de Boule de Neige. Sera Héros-Animal de Deuxième classe et recevra un demi-boisseau de pommes quiconque le conduira sur les bancs de la justice. Un boisseau entier à qui le capturera vivant ! »

---

1. **Éboulis** : amas de matériaux écroulés.
2. **Arrêté son parti** : décidé de la façon dont il réagirait.
3. **Ignominieuse** : honteuse.

Que même Boule de Neige ait pu se rendre capable de pareille
255 vilenie[1], voilà une découverte qui suscita chez les animaux une
indignation extrême. Ce fut un tel tollé[2] qu'incontinent chacun
réfléchit aux moyens de se saisir de Boule de Neige si jamais il
devait se représenter sur les lieux. Presque aussitôt on découvrit sur
l'herbe, à petite distance de la butte, des empreintes de cochon.
260 On ne pouvait les suivre que sur quelques mètres, mais elles
avaient l'air de conduire à une brèche dans la haie. Napoléon,
ayant reniflé de manière significative, déclara qu'il s'agissait bien
de Boule de Neige. D'après lui, il avait dû venir de la ferme de
Foxwood. Et, ayant fini de renifler :
265 « Plus d'atermoiements[3], camarades ! s'écria Napoléon. Le travail
nous attend. Ce matin même nous allons nous remettre à bâtir le
moulin, et nous ne détellerons[4] pas de tout l'hiver, qu'il pleuve ou
vente. Nous ferons savoir à cet abominable traître qu'on ne fait
pas si facilement table rase de notre œuvre[5]. Souvenez-vous-en,
270 camarades : nos plans ne doivent être modifiés en rien. Ils seront
terminés au jour dit. En avant, camarades ! Vive le moulin à vent !
Vive la Ferme des Animaux ! »

---

1. **Vilenie** : action immorale, basse.
2. **Tollé** : clameur d'indignation.
3. **Atermoiements** : hésitations.
4. **Détellerons** : détacherons les attelages.
5. **Fait pas si facilement table rase de notre œuvre** : détruit pas si facilement notre
œuvre.

Un rude hiver. Après les orages, la neige et la neige fondue, puis ce fut le gel qui ne céda que courant février. Vaille que vaille[1], les animaux poursuivaient la reconstruction du moulin, se rendant bien compte que le monde étranger les observait, et que les humains envieux se réjouiraient comme d'un triomphe, si le moulin n'était pas achevé dans les délais.

Les mêmes humains affectaient[2], par pure malveillance, de ne pas croire à la fourberie de Boule de Neige : le moulin se serait effondré tout seul, à les en croire, à cause de ses murs fragiles. Les animaux savaient, eux, que tel n'était pas le cas – encore qu'on eût décidé de les rebâtir sur trois pieds d'épaisseur, au lieu de dix-huit pouces, comme précédemment. Il leur fallait maintenant amener à pied d'œuvre une bien plus grande quantité de pierres. Longtemps, la neige amoncelée sur la carrière retarda les travaux. Puis ce fut un temps sec et il gela, et les animaux se remirent à la tâche, mais elle leur était pénible et ils n'y apportaient plus qu'un moindre enthousiasme. Ils avaient froid tout le temps, la plupart du temps ils avaient faim aussi. Seuls Malabar et Douce gardaient cœur à l'ouvrage. Les animaux entendaient les exhortations[3] excellentes de Brille-Babil sur les joies du service et la dignité du labeur, mais trouvaient plus de stimulant dans la puissance de

---

1. Vaille que vaille : tant bien que mal.
2. Affectaient : prétendaient, faisaient semblant.
3. Exhortations : encouragements.

Malabar comme dans sa devise inattaquable : « Je vais travailler plus dur. »

En janvier la nourriture vint à manquer. Le blé fut réduit à la portion congrue[1], et il fut annoncé que, par compensation, une ration supplémentaire de pommes de terre serait distribuée. Or on s'aperçut que la plus grande partie des pommes de terre avait gelé, n'ayant pas été assez bien protégées sous la paille. Elles étaient molles et décolorées, peu comestibles. Bel et bien, plusieurs jours d'affilée les animaux se nourrirent de betteraves fourragères[2] et de paille. Ils semblaient menacés de mort lente.

Il était d'importance capitale de cacher ces faits au monde extérieur. Enhardis[3] par l'effondrement du moulin, les humains accablaient la Ferme des Animaux sous de nouveaux mensonges. Une fois encore, les bêtes mouraient de faim et les maladies faisaient des ravages, elles se battaient entre elles, tuaient leurs petits, se comportaient en vrais cannibales. Si la situation alimentaire venait à être connue, les conséquences seraient funestes ; et c'est ce dont Napoléon se rendait clairement compte. Aussi décida-t-il de recourir à Mr. Whymper, pour que prévale le sentiment contraire. Les animaux n'avaient à peu près jamais l'occasion de rencontrer Mr. Whymper lors de ses visites hebdomadaires : désormais, certains d'entre eux, bien choisis – surtout des moutons –, eurent l'ordre de se récrier[4], comme par hasard, quand il était à portée d'oreille, sur leurs rations plus abondantes. De plus, Napoléon donna ordre de remplir de sable, presque à ras bord, les coffres à peu près vides de la resserre, qu'on recouvrit ensuite du restant de grains et de farine. Sur un prétexte plausible, on mena Mr. Whymper à la resserre et l'on fit en sorte qu'il jette au passage un coup d'œil sur les coffres. Il tomba dans le panneau,

---

1. **Portion congrue** : quantité minimum.
2. **Fourragères** : destinées à l'alimentation du bétail.
3. **Enhardis** : retrouvant leur assurance.
4. **Se récrier** : protester.

et rapporta partout qu'à la Ferme des Animaux il n'y avait pas de disette[1].

Pourtant, à fin janvier, il devint évident qu'il serait indispensable de s'approvisionner en grain quelque part. À cette époque, Napoléon
55 se montrait rarement en public. Il passait son temps à la maison, où sur chaque porte veillaient des chiens à la mine féroce. Quand il quittait sa retraite, c'était dans le respect de l'étiquette[2] et sous escorte. Car six molosses l'entouraient, et grognaient si quelqu'un l'approchait de trop près. Souvent il ne se montrait même pas le
60 dimanche matin, mais faisait connaître ses instructions par l'un des autres cochons, Brille-Babil en général.

Un dimanche matin, Brille-Babil déclara que les poules, qui venaient de se remettre à pondre, devraient donner leurs œufs. Napoléon avait conclu, par l'intermédiaire de Whymper, un contrat
65 portant sur quatre cents œufs par semaine. En contrepartie, on se procurerait la farine et le grain jusqu'à l'été et le retour à une vie moins pénible.

Entendant ce qu'il en était, les poules élevèrent des protestations scandalisées. Elles avaient été prévenues que ce sacrifice pourrait
70 s'avérer[3] nécessaire, mais n'avaient pas cru qu'on en viendrait là. Elles déclaraient qu'il s'agissait de leurs couvées de printemps, et que leur prendre leurs œufs était criminel. Pour la première fois depuis l'expulsion de Jones, il y eut une sorte de révolte. Sous la conduite de trois poulets noirs de Minorque, les poules tentèrent
75 résolument de faire échec aux vœux de Napoléon. Leur mode de résistance consistait à se jucher sur les chevrons du comble[4], d'où les œufs pondus s'écrasaient au sol. La réaction de Napoléon fut immédiate et sans merci. Il ordonna qu'on supprime les rations des poules, et décréta que tout animal surpris à leur donner
80 fût-ce un seul grain serait puni de mort. Les chiens veillèrent à

---

1. Disette : pénurie, manque de nourriture.
2. Étiquette : protocole.
3. S'avérer : se révéler.
4. Comble : partie située sous le toit d'un bâtiment.

l'exécution de ces ordres. Les poules tinrent bon cinq jours, puis elles capitulèrent et regagnèrent leurs pondoirs. Neuf d'entre elles, entre-temps, étaient mortes. On les enterra dans le verger, et il fut entendu qu'elles étaient mortes de coccidiose[1]. Whymper
85 n'eut pas vent de l'affaire, et les œufs furent livrés en temps voulu. La camionnette d'un épicier venait les enlever chaque semaine.

De tout ce temps on n'avait revu Boule de Neige. Mais on disait que sans doute il devait se cacher dans l'une ou l'autre des deux fermes voisines, soit Foxwood, soit Pinchfield. Napoléon était alors
90 en termes un peu meilleurs avec les fermiers. Il faut dire que, depuis une dizaine d'années, il y avait dans la cour, sur l'emplacement d'une ancienne hêtraie[2], une pile de madriers[3]. C'était du beau bois sec que Whymper avait conseillé à Napoléon de vendre. De leur côté, Mr. Pilkington et Mr. Frederick désiraient l'acquérir.
95 Or Napoléon hésitait entre les deux sans jamais se décider. On remarqua que chaque fois qu'il penchait pour Mr. Frederick, Boule de Neige était soupçonné de se cacher à Foxwood, au lieu que si Napoléon inclinait pour Mr. Pilkington, alors Boule de Neige s'était réfugié à Pinchfield.

100 Et, soudain, au début du printemps, une nouvelle alarmante : Boule de Neige hantait la ferme à la nuit ! L'émoi des animaux fut tel qu'ils faillirent en perdre le sommeil. Selon la rumeur, Boule de Neige s'introduisait à la faveur des ténèbres pour commettre cent méfaits. C'est lui qui volait le blé, renversait
105 les seaux à lait, cassait les œufs, piétinait les semis, écorçait les arbres fruitiers. On prit l'habitude de lui imputer tout forfait[4], tout contretemps. Si une fenêtre était brisée, un égout obstrué, la faute lui en était toujours attribuée, et quand on perdit la clef de la resserre, dans la ferme entière ce fut un même cri : Boule
110 de Neige l'avait jetée dans le puits ! Et, chose bizarre, c'est ce

---

1. **Coccidiose** : maladie des intestins.
2. **Hêtraie** : espace planté de hêtres.
3. **Madriers** : épaisses planches de bois.
4. **Imputer tout forfait** : attribuer tout crime.

que les animaux croyaient toujours après qu'on eut retrouvé la clef sous un sac de farine. Unanimes, les vaches affirmaient que Boule de Neige pénétrait dans l'étable par surprise pour les traire dans leur sommeil. Les rats, qui cet hiver-là avaient
115 fait des leurs, passaient pour être de connivence[1] avec lui.

Les activités de Boule de Neige doivent être soumises à une investigation implacable[2], décréta Napoléon. Escorté de ses chiens, il inspecta les bâtiments avec grande minutie, les autres animaux le suivant à distance de respect. Souvent il faisait halte
120 pour flairer le sol, déclarant qu'il pouvait déceler à l'odeur les empreintes de Boule de Neige. Pas un coin de la grange et de l'étable, du poulailler et du potager, qu'il ne reniflât, à croire qu'il suivait le traître à la trace. Du groin il flairait la terre avec insistance, puis d'une voix terrible s'écriait: «Boule de Neige!
125 Il est venu ici! Mon odorat me le dit!» Au nom de Boule de Neige les chiens poussaient des aboiements à fendre le cœur et montraient les crocs.

Les animaux étaient pétrifiés d'effroi. C'était comme si Boule de Neige, présence impalpable, toujours à rôder, les menaçait
130 de cent dangers. Un soir, Brille-Babil les fit venir tous. Le visage anxieux et tressaillant sur place, il leur dit qu'il avait des nouvelles graves à leur faire savoir.

«Camarades! s'écria-t-il en sautillant nerveusement, Boule de Neige s'est vendu à Frederick, le propriétaire de Pinchfield, qui
135 complote en ce moment de nous attaquer et d'usurper[3] notre ferme. C'est Boule de Neige qui doit le guider le moment venu de l'offensive. Mais il y a pire encore. Nous avions cru la révolte de Boule de Neige causée par la vanité et l'ambition. Mais nous avions tort, camarades. Savez-vous quelle était sa raison véritable?
140 Du premier jour Boule de Neige était de mèche avec Jones! Il

---

1. **De connivence**: complices.
2. **Investigation implacable**: enquête très rigoureuse.
3. **Usurper**: s'approprier de façon illégitime, illégale.

n'a cessé d'être son agent secret. Nous en tenons la preuve de documents abandonnés par lui et que nous venons tout juste de découvrir. À mon sens, camarades, voilà qui explique bien des choses. N'avons-nous pas vu de nos yeux comment il tenta
145 – sans succès heureusement – de nous entraîner dans la défaite et l'anéantissement, lors de la bataille de l'Étable ? »

Les animaux étaient stupéfaits. Pareille scélératesse[1] comparée à la destruction du moulin, vraiment c'était le comble ! Il leur fallut plusieurs minutes pour s'y faire. Ils se rappelaient tous, ou du moins
150 croyaient se rappeler, Boule de Neige chargeant à leur tête à la bataille de l'Étable, les ralliant sans cesse et leur redonnant cœur au ventre, alors même que les plombs de Jones lui écorchaient l'échine. Dès l'abord, ils voyaient mal comment il aurait pu être en même temps du côté de Jones. Même Malabar, qui ne posait
155 guère de questions, demeurait perplexe. Il s'étendit sur le sol, replia sous lui ses jambes de devant, puis, s'étant concentré avec force, énonça ses pensées. Il dit :

« Je ne crois pas ça. À la bataille de l'Étable, Boule de Neige s'est conduit en brave. Et ça, je l'ai vu de mes propres yeux. Et juste
160 après le combat, est-ce qu'on ne l'a pas nommé Héros-Animal, Première Classe ?

– C'est là que nous avons fait fausse route, camarade, reprit Brille-Babil. Car en réalité il essayait de nous conduire à notre perte. C'est ce que nous savons maintenant grâce à ces documents
165 secrets.

– Il a été blessé, quand même, dit Malabar. Tous, nous l'avons vu qui courait en perdant son sang.

– Cela aussi faisait partie de la machination ! s'écria Brille-Babil. Le coup de fusil de Jones n'a fait que l'érafler. Si vous saviez lire,
170 je vous en donnerais la preuve écrite de sa main. Le complot prévoyait qu'au moment critique Boule de Neige donnerait le signal du sauve-qui-peut, abandonnant le terrain à l'ennemi. Et

---

1. Scélératesse : bassesse.

il a failli réussir. Bel et bien, camarades, il *aurait* réussi, n'eût été[1] votre chef héroïque, le camarade Napoléon. Enfin, est-ce que
175 vous l'auriez oublié? Au moment même où Jones et ses hommes pénétraient dans la cour, Boule de Neige tournait casaque, entraînant nombre d'animaux après lui. Et, au moment où se répandait la panique, alors même que tout semblait perdu, le camarade Napoléon s'élançait en avant au cri de "Mort à l'Humanité!",
180 mordant Jones au mollet. De *cela*, sûrement vous vous rappelez, camarades?» dit Brille-Babil en frétillant.

Entendant le récit de cette scène haute en couleur, les animaux avaient l'impression de se rappeler. À tout le moins, ils se souvenaient qu'au moment critique Boule de Neige avait détalé. Mais Malabar,
185 toujours un peu mal à l'aise, finit par dire:

«Je ne crois pas que Boule de Neige était un traître au commencement. Ce qu'il a fait depuis c'est une autre histoire. Mais je crois qu'à la bataille de l'Étable il a agi en vrai camarade.»

Brille-Babil, d'un ton ferme et pesant ses mots, dit alors:
190 «Notre chef, le camarade Napoléon, a déclaré catégoriquement – catégoriquement, camarades – que Boule de Neige était l'agent de Jones depuis le début. Oui, et même bien avant que nous ayons envisagé le soulèvement.

– Ah, c'est autre chose dans ce cas-là, concéda Malabar. Si c'est
195 le camarade Napoléon qui le dit, ce doit être vrai.

– À la bonne heure, camarade!» s'écria Brille-Babil, non sans avoir jeté toutefois de ses petits yeux pétillants un regard mauvais sur Malabar. Sur le point de s'en aller, il se retourna et ajouta d'un ton solennel: «J'en avertis chacun de vous, il va falloir
200 ouvrir l'œil et le bon. Car nous avons des raisons de penser que certains agents secrets de Boule de Neige se cachent parmi nous à l'heure actuelle!»

Quatre jours plus tard en fin d'après-midi, Napoléon donna ordre à tous les animaux de se rassembler dans la cour. Quand

---

1. **N'eût été**: s'il n'y avait pas eu.

205 ils furent tous réunis, il sortit de la maison de la ferme, portant deux décorations (car récemment il s'était attribué les médailles de Héros-Animal, Première Classe et Deuxième Classe). Il était entouré de ses neuf molosses qui grondaient : les animaux en avaient froid dans le dos, et chacun se tenait tapi en silence,
210 comme en attente de quelque événement terrible.

Napoléon jeta sur l'assistance un regard dur, puis émit un cri suraigu. Immédiatement les chiens bondirent en avant, saisissant quatre cochons par l'oreille et les traînant, glapissants et terrorisés, aux pieds de Napoléon. Les oreilles des cochons saignaient. Et,
215 quelques instants, les molosses, ivres de sang, parurent saisis d'une rage démente. À la stupeur de tous, trois d'entre eux se jetèrent sur Malabar. Prévenant leur attaque, le cheval frappa l'un d'eux en plein bond et de son sabot le cloua au sol. Le chien hurlait miséricorde[1]. Cependant ses deux congénères[2], la queue entre
220 les jambes, avaient filé bon train. Malabar interrogeait Napoléon des yeux. Devait-il en finir avec le chien ou lui laisser la vie sauve ? Napoléon parut prendre une expression autre, et d'un ton bref il lui commanda de laisser aller le chien, sur quoi Malabar leva son sabot. Le chien détala, meurtri et hurlant de douleur.
225 Aussitôt le tumulte s'apaisa. Les quatre cochons restaient sidérés[3] et tremblants, et on lisait sur leurs traits le sentiment d'une faute. Napoléon les invita à confesser leurs crimes. C'étaient là les cochons qui avaient protesté quand Napoléon avait aboli l'assemblée du dimanche. Sans autre forme de procès, ils avouèrent. Oui, ils avaient
230 entretenu des relations secrètes avec Boule de Neige depuis son expulsion. Oui, ils avaient collaboré avec lui à l'effondrement du moulin à vent. Et, oui, ils avaient été de connivence pour livrer la Ferme des Animaux à Mr. Frederick. Ils firent encore état de confidences du traître : depuis des années, il était bien l'agent

---

1. **Hurlait miséricorde** : implorait la pitié.
2. **Congénères** : ici, animaux de la même espèce.
3. **Sidérés** : frappés de stupeur.

235 secret de Jones. Leur confession achevée, les chiens, sur-le-champ, les égorgèrent. Alors, d'une voix terrifiante, Napoléon demanda si nul autre animal n'avait à faire des aveux.

Les trois poulets qui avaient mené la sédition[1] dans l'affaire des œufs s'avancèrent, disant que Boule de Neige leur était apparu
240 en rêve. Il les avait incités à désobéir aux ordres de Napoléon. Eux aussi furent massacrés. Puis une oie se présenta : elle avait dérobé six épis de blé à la moisson de l'année précédente et les avait mangés de nuit. Un mouton avait, lui, uriné dans l'abreuvoir – sur les instances de Boule de Neige –, et deux autres moutons
245 avouèrent le meurtre d'un vieux bélier, particulièrement dévoué à Napoléon : alors qu'il avait un rhume de cerveau[2], ils l'avaient pris en chasse autour d'un feu de bois. Tous furent mis à mort sur-le-champ. Et de cette façon aveux et exécutions se poursuivirent : à la fin ce fut, aux pieds de Napoléon, un amoncellement de
250 cadavres, et l'air était lourd d'une odeur de sang inconnue depuis le bannissement de Jones.

Quand on en eut fini, le reste des animaux, cochons et chiens exceptés, s'éloigna en foule furtive[3]. Ils frissonnaient d'horreur, et n'auraient pas pu dire ce qui les bouleversait le plus : la trahison
255 de ceux ayant partie liée avec Boule de Neige, ou la cruauté du châtiment. Dans les anciens jours, de pareilles scènes de carnage avaient bien eu lieu, mais il leur paraissait à tous que c'était pire maintenant qu'elles se produisaient entre eux. Depuis que Jones n'était plus dans les lieux, pas un animal qui en eût tué un
260 autre, fût-ce un simple rat. Ayant gagné le monticule où, à demi achevé, s'élevait le moulin, d'un commun accord les animaux se couchèrent, blottis côte à côte, pour se faire chaud. Il y avait là Douce, Edmée et Benjamin, les vaches et les moutons, et tout un troupeau mêlé d'oies et de poules : tout le monde, somme

---

1. Sédition : rébellion.
2. Rhume de cerveau : infection des voies respiratoires.
3. Furtive : qui cherche à se cacher.

265 toute, excepté la chatte qui s'était éclipsée avant même l'ordre de rassemblement. Seul Malabar était demeuré debout, ne tenant pas en place, en se battant les flancs de sa longue queue noire, en poussant de temps à autre un hennissement étonné. À la fin, il dit :

« Ça me dépasse. Je n'aurais jamais cru à des choses pareilles
270 dans notre ferme. Il doit y avoir de notre faute. La seule solution, à mon avis, c'est de travailler plus dur. À partir d'aujourd'hui, je vais me lever encore une heure plus tôt que d'habitude. »

Et de son trot pesant il fila vers la carrière. Une fois là, il ramassa coup sur coup deux charretées de pierres qu'avant de se retirer
275 pour la nuit il traîna jusqu'au moulin.

Les animaux se blottissaient autour de Douce, et ils se taisaient. Du mamelon[1] où ils se tenaient couchés, s'ouvrait une ample vue sur la campagne. La plus grande partie de la Ferme des Animaux était sous leurs yeux – le pâturage tout en longueur
280 jusqu'à la route, le champ de foin, le boqueteau, l'abreuvoir[2], les labours où le blé vert poussait dru, et les toits rouges des dépendances d'où des filaments de fumée tourbillonnaient. La transparence d'un soir de printemps. L'herbe et les haies chargées de bourgeons se doraient aux rayons obliques du soleil.
285 Jamais la ferme – et ils éprouvaient une sorte d'étonnement à se rappeler qu'elle était à eux, que chaque pouce leur appartenait – ne leur avait paru si enviable. Suivant du regard le versant du coteau, les yeux de Douce s'embuaient de larmes. Eût-elle été à même d'exprimer ses pensées, alors elle aurait dit : mais
290 ce n'est pas là ce que nous avions entrevu quand, des années plus tôt, nous avions en tête de renverser l'espèce humaine. Ces scènes d'épouvante et ces massacres, ce n'était pas ce que nous avions appelé de nos vœux la nuit où Sage l'Ancien avait exalté[3] en nous l'idée du soulèvement. Elle-même se fût-elle fait

---

1. **Mamelon** : ici, colline.
2. **Abreuvoir** : bassin où boivent les animaux.
3. **Exalté** : excité, enflammé.

295 une image du futur, ç'aurait été celle d'une société d'animaux
libérés de la faim et du fouet : ils auraient été tous égaux, chacun
aurait travaillé suivant ses capacités, le fort protégeant le faible,
comme elle avait protégé de sa patte la couvée de canetons,
cette nuit-là où Sage l'Ancien avait prononcé son discours. Au
300 lieu de quoi – elle n'aurait su dire comment c'était arrivé – des
temps sont venus où personne n'ose parler franc, où partout
grognent des chiens féroces, où l'on assiste à des exécutions de
camarades dévorés à pleines dents après avoir avoué des crimes
affreux. Il ne lui venait pas la moindre idée de révolte ou de
305 désobéissance. Même alors elle savait les animaux bien mieux
pourvus que du temps de Jones, et aussi qu'avant tout il fallait
prévenir le retour des humains. Quoi qu'il arrive, elle serait
fidèle, travaillerait ferme, exécuterait les ordres, accepterait la
mainmise [1] de Napoléon. Quand même, ce n'était pas pour en
310 arriver là qu'elle et tous les autres avaient espéré et pris de la
peine. Pas pour cela qu'ils avaient bâti le moulin et bravé les
balles de Jones ! Telles étaient ses pensées, même si les mots
ne lui venaient pas.

À la fin, elle se mit à chanter *Bêtes d'Angleterre*, se disant qu'elle
315 exprimerait ainsi ce que ses propres paroles n'auraient pas su dire.
Alors les autres animaux assis autour d'elle reprirent en chœur le
chant révolutionnaire, trois fois de suite – mélodieusement, mais
avec une lenteur funèbre, comme ils n'avaient jamais fait encore.

À peine avaient-ils fini de chanter pour la troisième fois que
320 Brille-Babil, escorté de deux molosses, s'approcha, de l'air de qui
a des choses importantes à faire savoir. Il annonça que désormais,
en vertu d'un décret spécial du camarade Napoléon, chanter
Bêtes d'Angleterre était interdit.

Les animaux en furent tout décontenancés.

325 « Pourquoi ? s'exclama Edmée.

---

1. Mainmise : domination exclusive.

– Il n'y a plus lieu, camarade, dit Brille-Babil d'un ton cassant. *Bêtes d'Angleterre*, c'était le chant du Soulèvement. Mais le Soulèvement a réussi. L'exécution des traîtres, cet après-midi, l'a mené à son terme. Au-dehors comme au-dedans l'ennemi est vaincu. Dans
330 *Bêtes d'Angleterre* étaient exprimées nos aspirations[1] à la société meilleure des temps à venir. Or cette société est maintenant instaurée. Il est clair que ce chant n'a plus aucune raison d'être. »

Tout effrayés qu'ils fussent, certains animaux auraient peut-être bien protesté, si à cet instant les moutons n'avaient entonné
335 leurs bêlements habituels : *Quatrepattes, oui ! Deuxpattes, non !* Et ils bêlèrent plusieurs minutes durant, et mirent fin à la discussion.

Aussi n'entendit-on plus *Bêtes d'Angleterre*. À la place, Minimus, le poète, composa de nouveaux couplets dont voici le commencement :

Ferme des Animaux, Ferme des Animaux
340 *Jamais de mon fait ne te viendront des maux !*

et c'est là ce qu'on chante chaque dimanche matin après le salut au drapeau. Mais les animaux trouvaient que ces paroles et cette musique ne valaient pas *Bêtes d'Angleterre*.

---

1. Aspirations : désirs, ambitions.

Un quiz pour commencer

Cochez les bonnes réponses.

1 *Qui dirige la riposte des animaux lors de l'attaque de l'Étable ?*
- ❏ Malabar.
- ❏ Boule de Neige.
- ❏ Benjamin.

2 *Quel animal retourne auprès des hommes ?*
- ❏ La jument Douce.
- ❏ La jument Lubie.
- ❏ L'âne Benjamin.

3 *Que fait Napoléon tandis que Boule de Neige essaie de convaincre les animaux de l'utilité d'un moulin à vent ?*
- ❏ Il propose d'aider à la construction de cet édifice.
- ❏ Il contredit Boule de Neige et le fait expulser.
- ❏ Il désigne les chevaux comme chefs de travaux.

4 *Quelles sont les conséquences de la construction du moulin à vent sur le travail des animaux ?*

❒ Ils ne travaillent plus aux champs et se consacrent uniquement au moulin.

❒ Ils doivent travailler deux fois plus et même le dimanche.

❒ Ils se divisent en deux groupes : ceux qui cultivent les champs et ceux qui construisent le moulin.

5 *Qu'advient-il des Sept Commandements écrits après le Soulèvement ?*

❒ Ils sont abandonnés.

❒ Ils sont scrupuleusement respectés.

❒ Ils sont progressivement réécrits et transformés.

6 *Quels animaux tentent de se révolter pendant la période de disette ?*

❒ Les chiens.

❒ Les poules.

❒ Les rats.

7 *Selon Napoléon, qui est responsable de tous les maux de la ferme, comme la destruction du moulin ?*

❒ Edmée.

❒ Moïse.

❒ Boule de Neige.

8 *Pour quel motif certains animaux sont-ils exécutés ?*

❒ Ils n'ont pas travaillé suffisamment.

❒ Ils ont trahi Napoléon et les autres animaux.

❒ Ils ont voulu fuir la Ferme des Animaux.

Des questions pour aller plus loin

→ *Comprendre la critique du totalitarisme*

Un équilibre fragile et menacé

1 Par quoi la Ferme des Animaux est-elle menacée au chapitre 4 ? Comment et grâce à qui cette menace est-elle écartée ?

2 Dans le chapitre 5, quels personnages s'affrontent et à quel propos ? En vous appuyant sur leurs arguments, dites lequel des deux est le plus convaincant.

3 Comment Napoléon s'empare-t-il du pouvoir ? De quels personnages historiques peut-on le rapprocher ?

4 Relevez les éléments du texte qui montrent que les inégalités ne cessent de se creuser entre les animaux. Quels arguments avancent les cochons pour justifier leurs privilèges ?

Rhétorique et propagande

5 La propagande élaborée par les cochons pour faire accepter les décisions de Napoléon prend différentes formes. Recopiez et complétez le tableau suivant avec des exemples du texte.

Techniques de propagande	Exemples du texte
Modification des textes fondateurs de l'Animalisme	
Altération de la vérité et réécriture du passé commun des animaux	
Désignation d'un ennemi public responsable des maux de la Ferme	

6 Quel est le rôle de Brille-Babil sous le commandement de Napoléon ? Pensez-vous que les moutons jouent un rôle semblable ? Justifiez votre réponse.

7 Observez les lignes 100 à 115 du chapitre 7 (p. 80-81). Par quels procédés le narrateur souligne-t-il le caractère invraisemblable des accusations qui pèsent sur Boule de Neige ?

8 Relevez dans le chapitre 7 les éléments qui montrent que Napoléon est l'objet d'un culte de la personnalité. En vous appuyant sur vos connaissances historiques, présentez une ou deux dictatures qui ont fait appel à ces procédés de propagande.

Le règne de la terreur

9 Reliez chacun des chapitres suivants à l'action ou l'événement violent autour duquel il est construit. Précisez ensuite lequel de ces chapitres vous a le plus marqué et pourquoi.

Chapitre 4 •	• Destruction du moulin par la tempête
Chapitre 5 •	• Attaque de la ferme par les hommes (bataille de l'Étable)
Chapitre 6 •	• Tentatives de révoltes écrasées dans le sang, exécutions
Chapitre 7 •	• Coup d'État de Napoléon et expulsion de Boule de Neige

10 Quels sont les deux commandements de l'Animalisme que Napoléon et les cochons bafouent dans le chapitre 6 ? Quelle est la réaction des autres animaux ? Comment est-elle gérée par les cochons ?

11 (Langue) Relevez les mots et expressions appartenant au champ lexical de la violence dans les lignes 211 à 251 (p. 84-85). Quelle interdiction de l'Animalisme est ici transgressée ?

12 Saisissez dans un moteur de recherche les mots « procès de Moscou ». Dans quelle mesure peut-on dire que le chapitre 7 fait référence à ces événements historiques ?

Zoom sur les pensées de Douce (p. 86-87, l. 274 à 323)

13 Relevez dans cet extrait le passage qui correspond aux pensées de la jument Douce. Quels types de discours rapportés sont employés ici ? Quel effet sur le lecteur l'auteur recherche-t-il ?

14 Que reproche la jument à Napoléon ? Dressez la liste de ses griefs et montrez comment le lexique et la syntaxe mettent en valeur la violence de la situation.

15 Quel est le temps employé dans les lignes 307 à 309 ? Expliquez son emploi et commentez l'état d'esprit du personnage.

✔ Rappelez-vous !

• Napoléon prend seul le pouvoir et transforme le régime égalitaire en véritable **dictature**. Toute opposition au chef est violemment réprimée et les conditions de vie sont de plus en plus difficiles. Profitant de la **crédulité** des animaux et de la **peur** qu'ils leur inspirent, les cochons dirigent à présent la Ferme en lieu et place de Mr. Jones.

• Brille-Babil, tel un ministre de la **propagande** hitlérien ou stalinien, manipule la foule grâce à son éloquence et des procédés rhétoriques qui permettent de **contrefaire la vérité** et de **réécrire le passé**.

De la lecture à l'expression orale et écrite

💬✏️ *Des mots pour mieux s'exprimer*

1 *En vous aidant si besoin d'un dictionnaire, complétez les phrases ci-dessous avec les mots suivants (faites les accords nécessaires).*

| Argument | Conviction | Démontrer | Étayer | Fallacieux |

| Persuasion | Probant | Réfuter | Thèse |

a. Brille-Babil justifie l'expulsion de Boule de Neige par Napoléon à l'aide de plusieurs _____. L'idée qu'il défend, sa _____, est que Boule de Neige est l'ennemi de tous les animaux.

b. Si un animal tente de _____ les arguments _____ de l'orateur, ce dernier lui _____ le bien-fondé de sa thèse et _____ cette dernière avec des arguments plus _____.

c. Pour manipuler les animaux, Napoléon fait des discours avec un ton plein de _____ et fait appel aux sentiments des animaux, autrement dit à une stratégie de _____.

2 *Classez les verbes suivants en fonction de ce qu'ils permettent d'exprimer.*

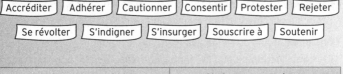

Verbes pour exprimer une opposition	Verbes pour exprimer une approbation

La parole est à vous

1 Si vous étiez un animal de la ferme, lequel des deux cochons soutiendriez-vous : Boule de Neige ou Napoléon ?

Consignes. Établissez la liste de vos arguments puis débattez de votre choix avec vos camarades. Chacun prend la parole à tour de rôle pour présenter son avis. Appuyez-vous sur les idées évoquées par vos camarades (« Certes, tu as en partie raison mais… », « Je voudrais revenir sur les propos de… »).

2 Relisez le passage des lignes 154 à 202 du chapitre 7 et transposez-le en scène de théâtre, que vous jouerez avec vos camarades.

Consignes. Par groupes de deux, répartissez-vous les rôles et repérez dans le texte les éléments qui pourraient correspondre à des indications de mise en scène (didascalies).

À vous d'écrire

1 Imaginez une des disputes entre Boule de Neige et Napoléon à propos de la construction du moulin à vent.

Consignes. Boule de Neige avancera des arguments en faveur de la construction du moulin, tandis que Napoléon lui opposera des arguments contre. En vous aidant du texte, rédigez leur dialogue en respectant la présentation d'usage dans un récit (guillemets, tirets, verbes de parole). Vous emploierez le vocabulaire de l'argumentation dans un texte d'une trentaine de lignes.

2 Pensez-vous que la culture et la connaissance de l'Histoire permettent de lutter contre la manipulation ?

Consignes. À partir de votre culture personnelle et de vos connaissances historiques et littéraires, vous développerez votre réflexion de façon organisée en une trentaine de lignes.

Quelques jours plus tard, quand se fut apaisée la terreur causée par les exécutions, certains animaux se rappelèrent – ou du moins crurent se rappeler – ce qu'enjoignait[1] le Sixième Commandement: *Nul animal ne tuera un autre animal.* Et bien que chacun se gardât d'en rien dire à portée d'oreille des cochons ou des chiens, on trouvait que les exécutions s'accordaient mal avec cet énoncé. Douce demanda à Benjamin de lui lire le Sixième Commandement, et quand Benjamin, comme d'habitude, s'y fut refusé, disant qu'il ne se mêlait pas de ces affaires-là, elle se retourna vers Edmée. Edmée le lui lut. Ça disait: *Nul animal ne tuera un autre animal sans raison valable.* Ces trois derniers mots, les animaux, pour une raison ou l'autre, ne se les rappelaient pas, mais ils virent bien que le Sixième Commandement n'avait pas été violé. Il y avait clairement de bonnes raisons de tuer les traîtres qui s'étaient ligués avec Boule de Neige.

Tout le long de cette année-là, ils travaillèrent encore plus dur que l'année précédente. Achever le moulin en temps voulu avec des murs deux fois plus épais qu'auparavant, tout en menant de pair[2] les travaux coutumiers, c'était un labeur écrasant. Certains jours, les animaux avaient l'impression de trimer plus longtemps qu'à l'époque de Jones, sans en être mieux nourris. Le dimanche matin, Brille-Babil, tenant un long ruban de papier dans sa petite

---

1. Enjoignait: ordonnait.
2. De pair: dans le même temps, en parallèle.

patte, leur lisait des colonnes de chiffres. Il en résultait une augmentation marquée dans chaque catégorie de production :
25 deux cents, trois cents ou cinq cents pour cent suivant le cas. Les animaux ne voyaient pas de raison de ne pas prêter foi à ces statistiques – d'autant moins de raison qu'ils ne se rappelaient plus bien ce qu'il en avait été avant le Soulèvement. Malgré tout, il y avait des moments où moins de chiffres et plus à manger leur
30 serait mieux allé.

Tous les ordres leur étaient maintenant transmis par Brille-Babil ou l'un des autres cochons. C'est tout juste si chaque quinzaine Napoléon se montrait en public, mais alors le cérémonial était renforcé. À ses chiens s'ajoutait un jeune coq noir et fiérot,
35 qui précédait le chef, faisait office de trompette, et, avant qu'il ne prît la parole, poussait un cocorico ardent. On disait que Napoléon avait un statut propre jusque dans la maison où il avait ses appartements privés. Servi par deux chiens, il prenait ses repas seul dans le service de porcelaine de Derby[1] frappé
40 d'une couronne, autrefois exposé dans l'argentier[2] du salon. Enfin il fut entendu qu'une salve de carabine serait tirée pour commémorer sa naissance – tout de même que les deux autres jours anniversaires.

Napoléon n'était plus jamais désigné par un seul patronyme.
45 Toujours on se référait à lui en langage de protocole : « Notre chef, le camarade Napoléon ». De plus, les cochons se plaisaient à lui attribuer des titres tels que Père de tous les Animaux, Terreur du Genre Humain, Protecteur de la Bergerie, Ami des Canetons, ainsi de suite. Dans ses discours, Brille-Babil exaltait la sagesse de
50 Napoléon et sa bonté de cœur, son indicible[3] amour des animaux de tous les pays, même et en particulier celui qu'il portait aux

---

1. Derby : ville d'Angleterre d'où provient la porcelaine, dont la marque de fabrique est dotée d'une couronne.
2. Argentier : meuble où est entreposée l'argenterie, vaisselle en argent.
3. Indicible : inexprimable.

infortunés[1] des autres fermes, encore dans l'ignorance et l'esclavage.
C'était devenu l'habitude de rendre honneur à Napoléon de tout
accomplissement heureux et hasard propice. Aussi entendait-on
fréquemment une poule déclarer à une autre commère[2] poule :
« Sous la conduite éclairée du camarade Napoléon, notre chef, en
six jours j'ai pondu cinq œufs. » Ou encore c'étaient deux vaches
à l'abreuvoir, s'exclamant : « Grâces soient rendues aux lumières
du camarade Napoléon, car cette eau a un goût excellent ! » Le
sentiment général fut bien exprimé dans un poème de Minimus,
dit *Camarade Napoléon* :

> *Tuteur de l'orphelin*
> *Fontaine de bonheur*
> *Calme esprit souverain*
> *Seigneur de la pâtée le feu de ton regard*
> *Se penche créateur*
> *Soleil dans notre ciel, source de réflexion*
> *Ô Camarade Napoléon !*
>
> *Ô grand dispensateur[3]*
> *De tout ce que l'on aime*
> *Ô divin créateur*
> *Pourvoyeur[4] du petit et maître en tous arts*
> *Oui chaque bête même*
> *Chaque bête te doit foin sec et ventre bon*
> *Ô Camarade Napoléon !*
>
> *Même un petit cochon*
> *Pas plus qu'enfantelet[5]*

1. **Infortunés** : malheureux.
2. **Commère** : camarade.
3. **Dispensateur** : distributeur.
4. **Pourvoyeur** : fournisseur.
5. **Enfantelet** : petit enfant.

> *Dans sa contemplation*
> *Il lui faudra savoir que sous ton étendard*
> 80 *Chaque bête se tait*
> *Et que son premier cri dira ton horizon*
> *Ô Camarade Napoléon !*

Napoléon donna son approbation au poème qu'il fit inscrire sur le mur de la grange, en face des Sept Commandements. En 85 frontispice[1] son effigie[2] de profil fut peinte par Brille-Babil à la peinture blanche.

Entre-temps, Napoléon était, par le truchement de Whymper, entré en négociations compliquées avec Frederick et Pilkington. Le bois de charpente n'était toujours pas vendu. Frederick, le 90 plus désireux de s'en rendre acquéreur, n'offrait pas un prix raisonnable. Simultanément la rumeur se répandit de nouveau d'une offensive de Frederick et de ses hommes contre la Ferme des Animaux. Il jetterait bas le moulin dont l'édification avait soulevé chez lui une jalousie effrénée. On savait que Boule de 95 Neige rôdait toujours à la ferme de Pinchfield. Au cœur de l'été, les animaux en grand émoi apprirent que trois poules avaient spontanément avoué leur participation à un complot de Boule de Neige en vue d'assassiner Napoléon. Elles furent exécutées sans délai et de nouvelles précautions furent prises pour la sécurité 100 du chef. La nuit quatre chiens montèrent la garde autour de son lit, un à chaque coin, et à un petit goret du nom de Œil Rose fut confiée la charge de goûter sa nourriture, de peur d'un empoisonnement.

Vers ce temps-là, il fut annoncé que Napoléon avait pris la 105 décision de vendre le bois à Mr. Pilkington. Il était aussi sur le point de passer accord avec la ferme de Foxwood en vue d'échanges réguliers. Les relations entre Napoléon et Pilkington,

---

1. En frontispice: sur la façade.
2. Effigie: portrait.

quoique uniquement menées par Whymper, en étaient devenues presque cordiales. Les animaux se méfiaient de Pilkington, en tant qu'humain, mais le préféraient franchement à Frederick, qu'à la fois ils redoutaient et haïssaient. L'été s'avançant et la construction du moulin touchant à sa fin, les bruits se firent de plus en plus insistants d'une attaque perfide[1], déclenchée d'un moment à l'autre. Frederick, disait-on, se proposait de lancer contre la Ferme des Animaux une vingtaine d'individus armés de fusils. Déjà il avait soudoyé[2] les hommes de loi et la police, de façon qu'une fois en possession des titres de propriété ceux-ci ne soient plus remis en cause. Qui plus est, des histoires épouvantables circulaient sur le traitement cruel infligé à des animaux par ce Frederick : il avait fouetté un vieux cheval jusqu'à ce que mort s'ensuive, laissait ses vaches mourir de faim, avait jeté un de ses chiens dans la chaudière, se divertissait le soir à des combats de coqs (les combattants avaient des éclats de lames de rasoir fixés aux ergots[3]). Au récit d'atrocités pareilles, le sang des animaux ne faisait qu'un tour, et il leur arriva de clamer leur désir d'être autorisés à marcher sur Pinchfield pour en chasser les humains et délivrer les animaux. Mais Brille-Babil leur conseilla d'éviter toute action téméraire et de s'en remettre à la stratégie du camarade Napoléon.

Malgré tout, une âcre animosité[4] contre Frederick persistait. Un dimanche matin, Napoléon se rendit dans la grange pour expliquer qu'il n'avait à aucun moment envisagé de lui vendre le chargement de bois. Il y allait de sa dignité, expliqua-t-il, de ne jamais entretenir de relations avec des gredins pareils. Les pigeons, toujours chargés de répandre à l'extérieur les nouvelles du Soulèvement, reçurent l'interdiction de toucher terre en un point quelconque de Foxwood, et il leur fut ordonné de substituer

---

1. **Perfide** : traître, déloyale.
2. **Soudoyé** : corrompu.
3. **Ergots** : excroissances osseuses à l'arrière des pattes des coqs.
4. **Âcre animosité** : malveillance pleine de ressentiment.

au mot d'ordre initial, «Mort à l'Humanité!», celui de «Mort à Frederick!». Vers la fin de l'été, une nouvelle machination de

140 Boule de Neige fut démasquée. Les mauvaises herbes avaient envahi les blés, et l'on s'aperçut que, lors d'une de ses incursions[1] nocturnes, Boule de Neige avait semé l'ivraie[2] dans le bon grain. Un jars[3] dans le secret du complot confessa sa faute à Brille-Babil, puis aussitôt se suicida en avalant des baies de belladone[4]. Les

145 animaux apprirent encore qu'à Boule de Neige – au rebours de[5] ce que nombre d'entre eux avaient cru jusque-là – n'avait jamais été conférée la distinction de Héros-Animal, Première Classe. C'était là pure légende propagée par Boule de Neige lui-même à quelque temps de la bataille de l'Étable. Loin qu'il

150 ait été décoré, il avait été blâmé pour sa couardise[6] au combat. Cette nouvelle-là, comme d'autres avant elle, laissa les animaux abasourdis, mais bientôt Brille-Babil sut les convaincre que leur mémoire était en défaut[7].

À l'automne, au prix d'un effort harassant et qui tenait du

155 prodige (car presque en même temps il avait fallu rentrer la moisson), le moulin à vent fut achevé. Si manquaient les moyens mécaniques de son fonctionnement, dont Whymper négociait l'achat, le corps de l'édifice existait. Au défi de tous les obstacles, malgré le manque d'expérience et les moyens primitifs à leur

160 disposition, et la malchance, et la perfidie de Boule de Neige, l'ouvrage était debout au jour dit. Épuisés mais fiers, les animaux faisaient à n'en plus finir le tour de leur chef-d'œuvre, encore plus beau à leurs yeux que la première fois. De plus, les murs étaient deux fois plus épais, et rien désormais, rien ne pourrait

---

1. **Incursions**: entrées dans un pays ennemi.
2. **Ivraie**: mauvais grain.
3. **Jars**: oie mâle.
4. **Belladone**: plante contenant un poison violent.
5. **Au rebours de**: contrairement à.
6. **Couardise**: lâcheté.
7. **Était en défaut**: se trompait.

165 plus anéantir le moulin, qu'une charge d'explosifs. Et repensant à la peine qu'ils avaient prise, aux périodes de découragement surmontées, et à la vie tellement différente qui serait la leur quand les ailes tourneraient et les dynamos fonctionneraient – à la pensée de toutes ces choses, leur lassitude[1] céda et ils se
170 mirent à cabrioler autour de leur œuvre, poussant des cris de triomphe. Napoléon lui-même, accompagné de ses chiens et de son jeune coq, se rendit sur les lieux, en personne félicita les animaux de leur réussite, et fit connaître que le moulin serait nommé Moulin Napoléon.

175 Deux jours plus tard les animaux furent convoqués à la grange en séance extraordinaire. Ils restèrent bouche bée quand Napoléon annonça qu'il avait vendu le chargement de bois à Frederick : dès le lendemain, celui-ci se présenterait avec ses camions pour prendre livraison de la marchandise. Ainsi, pendant la période de
180 son amitié prétendue avec Pilkington, Napoléon avait entretenu avec Frederick les relations secrètes qui menaient à cet accord.

Toutes les relations avec Foxwood avaient été rompues et des messages injurieux adressés à Pilkington. Les pigeons avaient pour consigne d'éviter la ferme de Pinchfield et de retourner le mot
185 d'ordre : « Mort à Frederick ! » devenait « Mort à Pilkington ! ».

En même temps, Napoléon assura les animaux que les menaces d'une attaque imminente contre la Ferme des Animaux étaient sans fondement aucun. Quant aux contes sur la cruauté de Frederick envers ses bêtes, c'était très exagéré. De telles fables
190 devaient trouver leur origine dans la malfaisance de Boule de Neige et de ses agents. Et pour Boule de Neige lui-même : il y avait maintenant tout lieu de croire qu'il ne s'était pas réfugié à la ferme de Pinchfield ; en vérité, il n'y était jamais allé. Depuis des années il vivait à Foxwood – dans l'opulence[2], disait-on –, à
195 la solde de Pilkington.

---

1. Lassitude : grande fatigue.
2. Opulence : abondance de biens et de richesses.

Les cochons béaient[1] d'admiration devant tant de fine astuce chez Napoléon. Feignant d'être l'ami de Pilkington, il avait contraint Frederick à renchérir de douze livres[2] sur son offre initiale. Et ce qui faisait de Napoléon un cerveau d'exception, c'était, dit Brille-Babil, qu'il ne faisait confiance à personne, pas même à Frederick. Celui-ci avait voulu payer le bois au moyen d'un chèque – soit pas plus, à ce qu'il semblait, qu'une promesse d'argent écrite sur un bout de papier. Or Napoléon, des deux, était le plus malin. Il avait exigé un versement en billets de cinq livres, à lui remettre avant l'enlèvement de la marchandise ; et Frederick avait déjà payé, et le montant de la somme se trouvait suffire à l'achat de la machinerie du moulin.

Frederick avait promptement pris livraison du bois, et, l'opération achevée, une autre réunion fut tenue dans la grange où les animaux purent examiner de près les billets de banque. Portant ses deux décorations, Napoléon, sur l'estrade, reposait sur un lit de paille, souriant aux anges, l'argent à côté de lui, soigneusement empilé sur un plat de porcelaine de Chine provenant de la cuisine. Les animaux défilèrent avec lenteur, n'en croyant pas leurs yeux. Et Malabar, du museau, renifla les billets, et sous son souffle on les vit bruire[3] et frémir.

Trois jours plus tard, ce fut un hourvari[4] sans nom. Whymper, les traits livides, remonta le sentier sur sa bicyclette, s'en débarrassa précipitamment dans la cour, puis courut droit à la maison. L'instant d'après, on perçut, venus des appartements de Napoléon, des cris de rage mal étouffés. La nouvelle de ce qui s'était passé se répandit comme une traînée de poudre : les billets de banque étaient faux ! Frederick avait acquis le bois sans bourse délier[5] !

---

1. **Béaient** : demeuraient bouche bée.
2. **Livres** : pièces de monnaie utilisée en Angleterre.
3. **Bruire** : émettre un bruit léger.
4. **Hourvari** : tumulte.
5. **Sans bourse délier** : sans dépenser d'argent.

Napoléon rassembla les animaux sur-le-champ, et d'une voix
terrible prononça la condamnation à mort. Une fois Frederick
entre nos pattes, dit-il, nous le ferons bouillir à petit feu. Et du
même coup il les avertit qu'après cet acte de trahison le pire était à
redouter. À tout instant, Frederick et ses gens pourraient bien lancer
l'attaque si longtemps attendue. Des sentinelles furent disposées
sur toutes les voies d'accès à la ferme. Quatre pigeons furent
dépêchés vers Foxwood, porteurs d'un message de conciliation[1],
car on espérait rétablir des relations de bon voisinage.

L'attaque eut lieu dès le lendemain matin. Les animaux prenaient
leur premier repas quand les guetteurs firent irruption, annonçant
que Frederick et ses partisans avaient déjà franchi la clôture
aux cinq barreaux. Crânement[2], les animaux se portèrent à leur
rencontre, mais cette fois la victoire ne fut pas aussi facile qu'à la
bataille de l'Étable. Les hommes, une quinzaine, étaient armés
de six fusils, et quand les animaux furent à cinquante mètres
ils ouvrirent le feu. Les défenseurs, ne pouvant faire face aux
explosions épouvantables et aux cuisantes brûlures des plombs,
reculèrent, malgré les efforts de Napoléon et de Malabar pour
les rameuter. Un certain nombre d'entre eux étaient blessés déjà.
Alors les animaux se replièrent sur les dépendances de la ferme,
épiant l'ennemi par les fentes et fissures des portes. Tout le grand
herbage[3], moulin compris, était tombé aux mains des assaillants.
À ce moment, même Napoléon avait l'air désemparé. Sans un
mot il faisait les cent pas, nerveux, la queue raidie. Il avait pour
la ferme de Foxwood des regards nostalgiques. Ah, si Pilkington
et les siens venaient leur prêter main-forte, ils pourraient encore
l'emporter! Or à cet instant les quatre pigeons envoyés en mission
la veille revinrent, l'un d'eux avec un billet griffonné au crayon
par Pilkington et disant: «Ça vous apprendra!»

---

1. Conciliation: entente.
2. Crânement: bravement.
3. Herbage: pré.

Cependant Frederick et ses gens avaient fait halte auprès du
255 moulin. Un murmure de consternation parcourut les animaux
qui les regardaient faire. Car deux hommes avaient brandi une
masse et une barre servant de levier. Ils s'apprêtaient à faire
sauter le moulin.

«Ils n'ont aucune chance! s'écria Napoléon. Nos murs sont bien
260 trop épais. En une semaine ils n'y parviendraient pas. Courage,
camarades!»

Mais Benjamin regardait faire les deux hommes avec une
attention soutenue. Avec la masse et la barre ils perçaient un
trou à la base du moulin. Lentement, comme si la scène l'eût
265 amusé, Benjamin hocha de son long museau:

«Je m'en doutais, dit-il. Vous ne voyez pas ce qu'ils font? Encore
un instant et ils vont enfoncer leur explosif dans l'ouverture.»

Les animaux attendaient, terrifiés. Et comment auraient-ils pu
s'aventurer à découvert? Mais bientôt on vit les hommes s'égailler
270 de tous côtés. Puis un grondement assourdissant. Les pigeons,
là-haut, tourbillonnaient.

Tous les autres animaux, Napoléon excepté, se tenaient à terre,
la tête cachée. Quand ils se relevèrent, un énorme nuage de fumée
noire planait sur le lieu où le moulin s'était élevé. Lentement la
275 brise dissipa la nuée[1]. Le moulin avait cessé d'être.

Voyant cela, les animaux reprennent courage. La peur et le
désespoir éprouvés quelques instants plus tôt cèdent devant leur
rage contre tant de vilenie. Une immense clameur de vengeance
s'élève, et sans attendre les ordres ils se jettent en masse droit sur
280 l'ennemi. Et c'est comme si leur sont de rien les plombs[2] qui,
drus comme grêle, s'abattent alentour.

C'est une lutte âpre et sauvage, les hommes lâchant salve sur
salve, puis, quand les animaux les serrent de près, les harcelant
de leurs gourdins et de leurs lourdes bottes. Une vache, trois

---

1. **Nuée**: nuage, ici de poussière.
2. **Comme si leur sont de rien les plombs**: comme si les plombs ne les gênaient pas.

285 moutons et deux oies périssent, et presque tous sont blessés.
Napoléon lui-même, qui de l'arrière dirige les opérations, voit
sa queue lacérée par un plomb. Mais les hommes non plus ne
s'en tirent pas indemnes. À coups de sabot, Malabar fracasse
trois têtes. Un autre assaillant est éventré par une vache, un autre
290 encore a le pantalon mis à mal par les chiennes Constance et
Fleur. Et quand Napoléon lâche les neuf molosses de sa garde,
leur ayant enjoint de tourner l'ennemi sous couvert de la haie,
les hommes, les apercevant sur leur flanc, et entendant leurs
aboiements féroces, sont pris de panique. Ils se voient en danger
295 d'être encerclés. Frederick crie à ses hommes de détaler pendant
qu'il en est temps, et dans l'instant voilà les lâches qui prennent
le large. C'est un sauve-qui-peut, un sauve-ta-peau.

Alors les animaux prennent les hommes en chasse. Ils les traquent
jusqu'au bas du champ. Et là, les voyant se faufiler à travers la
300 haie, ils les obligent d'encore quelques ruades.

Vainqueurs, mais à bout de forces et couverts de sang, c'est clopin-
clopant qu'ils regagnèrent la ferme. Voyant l'herbe jonchée de
leurs camarades morts, certains d'entre eux pleuraient. Quelques
instants, ils se recueillirent, affligés, devant le lieu où s'était élevé
305 le moulin. Oh, il n'y avait plus de moulin, et les derniers vestiges
de leur ouvrage étaient presque effacés. Même les fondations
étaient en partie détruites. Et pour le reconstruire, cette fois
ils ne pourraient plus se servir des pierres fracassées au sol, car
elles aussi avaient disparu. La violence de la déflagration les
310 avait projetées à des centaines de mètres. Et c'était comme si le
moulin n'avait jamais été.

Comme ils approchaient de la ferme, Brille-Babil,
qu'inexplicablement on n'avait pas vu au combat, vint au-devant
d'eux, sautillant et trémoussant de la queue, l'air ravi. Et les
315 animaux perçurent, venu des dépendances, retentissant et solennel,
un coup de feu.

« Qu'est-ce que c'est, ce coup de fusil ? dit Malabar.

– C'est pour célébrer la victoire ! s'exclama Brille-Babil.

– Quelle victoire ? demanda Malabar. Ses genoux étaient en
320 sang, il avait perdu un fer et écorché son sabot. Une dizaine de
plombs s'étaient logés dans sa jambe de derrière.

– Quelle victoire, camarade ? reprit Brille-Babil. N'avons-nous
pas chassé l'ennemi de notre sol – le sol sacré de la Ferme des
Animaux ?

325 – Mais ils ont détruit le moulin. Et deux ans nous y avions
travaillé.

– Et alors ? Nous en bâtirons un autre, et nous en bâtirons six
si cela nous chaut[1]. Camarade, tu n'estimes pas nos prouesses à
leur aune[2]. L'ennemi foulait aux pieds notre sol même, et voici
330 que – grâces en soient rendues au camarade Napoléon, à ses
qualités de chef – nous en avons reconquis jusqu'au dernier pouce.

– Alors nous avons repris ce que nous avions déjà, dit Malabar.

– C'est bien là notre victoire », repartit Brille-Babil.

Ils entrèrent tout clopinant dans la cour. La patte de Malabar lui
335 cuisait[3] douloureusement, là où les plombs s'étaient fichés sous la
peau. Il entrevoyait quel lourd labeur exigerait la reconstruction
du moulin à partir des fondations. Et déjà, à la pensée de cette
tâche, en esprit il se revigorait[4]. Mais pour la première fois il lui
vint qu'il avait maintenant onze ans d'âge, et que peut-être ses
340 muscles n'avaient pas la même force que dans le temps.

Lorsque les animaux virent flotter le drapeau vert, et entendirent
qu'on tirait le fusil de nouveau – sept fois en tout –, et quand
enfin Napoléon les félicita de leur courage, alors il leur sembla
qu'ils avaient, après tout, remporté une grande victoire. Aux bêtes
345 massacrées au combat on fit des funérailles solennelles. Malabar
et Douce s'attelèrent au chariot qui tint lieu de corbillard[5], et
Napoléon en personne conduisit le cortège. Et deux grands jours

---

1. **Si cela nous chaut** : si nous le désirons.
2. **À leur aune** : à leur juste mesure.
3. **Lui cuisait** : le faisait souffrir.
4. **Se revigorait** : reprenait des forces.
5. **Corbillard** : véhicule dans lequel sont placés les cercueils.

furent consacrés aux célébrations. Ce furent chants et discours, et encore d'autres salves de fusil, et par faveur spéciale chaque
350 animal reçut une pomme. En outre, les volatiles eurent droit à deux onces de blé, et les chiens à trois biscuits. Il fut proclamé que la bataille porterait le nom de bataille du Moulin à Vent, et l'on apprit que Napoléon avait pour la circonstance créé une décoration nouvelle : l'Ordre de la Bannière Verte, qu'il s'était
355 conférée à lui-même. Et au cœur de ces réjouissances fut oubliée la regrettable affaire des billets de banque.

À quelques jours de là, les cochons tombèrent par hasard sur une caisse de whisky oubliée dans les caves. Personne n'y avait prêté attention en prenant possession des locaux ; cette même
360 nuit, on entendit, venues de la maison, des chansons braillées à tue-tête et auxquelles se mêlaient, à la surprise générale, les accents de *Bêtes d'Angleterre*. Sur les neuf heures et demie, on reconnut distinctement Napoléon, le chef coiffé d'un vieux melon[1] ayant appartenu à Jones, qui surgissait par la porte de l'office, galopait
365 à travers la cour, puis s'engouffrait de nouveau à l'intérieur. Le lendemain, un lourd silence pesa sur la Ferme des Animaux, et pas un cochon qui donnât signe de vie. On allait sur les neuf heures quand Brille-Babil fit son apparition, l'air incertain, et l'allure déjetée[2], l'œil terne, la queue pendante et flasque, enfin faisant
370 pitié. Il doit être gravement malade, se disait-on. Mais bientôt il rassembla les animaux pour leur faire part d'une nouvelle épouvantable. Le camarade Napoléon se mourait !

Ce ne furent que lamentations. On couvrit de paille le seuil des portes et les animaux allaient sur la pointe des pattes. Les larmes
375 aux yeux, ils se demandaient les uns les autres ce qu'ils allaient faire si le chef leur était enlevé. Une rumeur se répandit : Boule de Neige avait réussi à glisser du poison dans sa nourriture. À onze heures Brille-Babil revint avec d'autres nouvelles. Napoléon

---

1. Melon : chapeau de forme arrondie.
2. Déjetée : désordonnée.

avait arrêté son ultime décision ici-bas, punissant de mort tout
380 un chacun pris à ingurgiter de l'alcool.

Dans la soirée, il apparut que Napoléon avait repris du poil de
la bête, et le lendemain matin Brille-Babil rapporta qu'il était
hors de danger. Au soir de ce jour-là il se remit au travail, et le
jour suivant on apprit qu'il avait donné instruction à Whymper
385 de se procurer à Willingdon des opuscules[1] expliquant comment
se distille et fabrique la bière. Une semaine plus tard il ordonnait
de labourer le petit enclos attenant au verger primitivement
réservé aux animaux devenus inaptes au travail. On en donna pour
raison le mauvais état du pâturage et le besoin de l'ensemencer
390 à neuf. Mais, on le sut bientôt, c'était de l'orge que Napoléon
désirait y planter.

Vers ce temps-là, survint un incident bizarre dont le sens échappa
à presque tout le monde – un fracas affreux dans la cour vers
les minuit. Les animaux se ruèrent dehors où c'était le clair
395 de lune. Au pied du mur de la grange, là où étaient inscrits les
Sept Commandements, ils virent une échelle brisée en deux, et
à côté Brille-Babil étendu sur le ventre, paraissant avoir perdu
connaissance. Autour de lui s'étaient éparpillés une lanterne,
une brosse et un pot renversé de peinture blanche. Tout aussitôt
400 les chiens firent cercle autour de la victime et, dès qu'elle fut à
même de marcher, sous escorte la ramenèrent au logis. Aucun
des autres animaux n'avait la moindre idée de ce que cela pouvait
vouloir dire, sauf le vieux Benjamin qui d'un air entendu hochait
le museau, quoique décidé à se taire.

405 Quelques jours plus tard, la chèvre Edmée, en train de déchiffrer
les Sept Commandements, s'aperçut qu'il en était encore un autre
que les animaux avaient compris de travers. Ils avaient toujours
cru que le Cinquième Commandement énonçait : *Aucun animal
ne boira d'alcool.* Or deux mots leur avaient échappé. De fait, le
410 commandement disait : *Aucun animal ne boira d'alcool à l'excès.*

---

1. **Opuscules** : petits livres.

Le sabot fendu de Malabar fut long à guérir. La reconstruction du moulin avait commencé dès la fin des fêtes de la victoire. Malabar refusa de prendre un seul jour de repos, et il se faisait un point d'honneur de ne pas montrer qu'il souffrait. Le soir, il avouait à Douce, en confidence, que son sabot lui faisait mal, et Douce lui posait des cataplasmes[1] de plantes qu'elle préparait en les mâchonnant. Benjamin se joignait à elle pour l'exhorter à prendre moins de peine. Elle lui disait: «Les bronches d'un cheval ne sont pas éternelles.» Mais Malabar ne voulait rien entendre. Il n'avait plus, disait-il, qu'une seule vraie ambition: voir la construction du moulin bien avancée avant qu'il n'atteigne l'âge de la retraite.

Dans les premiers temps, quand avaient été énoncées les lois de la Ferme des Animaux, l'âge de la retraite avait été arrêté à douze ans pour les chevaux et les cochons, quatorze pour les vaches, sept pour les moutons, cinq pour les poules et les oies. On s'était mis d'accord sur une estimation libérale[2] du montant des pensions[3]. Pourtant aucun animal n'avait encore bénéficié de ces avantages, mais maintenant le sujet était de plus en plus souvent débattu. Depuis que le clos attenant au verger avait été réservé à la culture de l'orge, le bruit courait

---

1. Cataplasmes: bouillies de plantes utilisées comme pommades.
2. Libérale: généreuse.
3. Pensions: retraites.

qu'une parcelle du grand herbage serait clôturée et convertie en pâturage pour les animaux à la retraite. Pour un cheval on évaluait la pension à cinq livres de grain et, en hiver, quinze 25 livres de foin, plus, aux jours fériés, une carotte, ou une pomme peut-être. Le douzième anniversaire de Malabar tombait l'été de l'année suivante.

Mais, en attendant, la vie dure. L'hiver fut aussi rigoureux que le précédent, et les portions encore plus réduites – sauf 30 pour les cochons et les chiens. Une trop stricte égalité des rations, expliquait Brille-Babil, eût été contraire aux principes de l'Animalisme. De toute façon il n'avait pas de mal à prouver aux autres animaux que, en dépit des apparences, il n'y avait pas pénurie de fourrage. Pour le moment, il était apparu nécessaire 35 de procéder à un réajustement des rations (Brille-Babil parlait toujours d'un réajustement, jamais d'une réduction), mais l'amélioration était manifeste à qui se rappelait le temps de Jones. D'une voix pointue et d'un débit rapide, Brille-Babil accumulait les chiffres, lesquels prouvaient par le détail : une 40 consommation accrue en avoine, foin et navets ; une réduction du temps de travail ; un progrès en longévité ; une mortalité infantile en régression. En outre, l'eau était plus pure, la paille plus douce au sommeil, on était moins dévoré par les puces. Et tous l'en croyaient sur parole. À la vérité, Jones avec tout ce qu'il 45 avait représenté ne leur rappelait plus grand-chose. Ils savaient bien la rudesse de leur vie à présent, et que souvent ils avaient faim et souvent froid, et qu'en dehors des heures de sommeil le plus souvent ils étaient à trimer. Mais sans doute ç'avait été pire dans les anciens temps, ils étaient contents de le croire. 50 En outre, ils étaient esclaves alors, mais maintenant ils étaient libres, ce qui changeait tout, ainsi que Brille-Babil ne manquait jamais de le souligner.

Il y avait bien plus de bouches à nourrir désormais. À l'automne les quatre truies avaient mis bas presque en même temps, d'où, 55 à elles toutes, trente et un nouveau-nés. Comme c'étaient des

porcelets pie[1] et que Napoléon était le mâle en chef, on pouvait sans trop de peine établir leur parenté. Il fut annoncé que plus tard, une fois briques et bois de charpente à pied d'œuvre, on construirait une école dans le potager. Pour le moment, Napoléon
60 avait pris sur lui-même d'enseigner les jeunes gorets dans la cuisine, et ils s'amusaient et prenaient de l'exercice dans le jardin attenant à la maison. On les détournait de se mêler aux jeux des autres animaux. Vers ce temps-là fut posé en principe que tout animal trouvant un cochon sur son chemin aurait à lui céder le
65 pas. De plus, tous les cochons, quel que fût leur rang, jouiraient du privilège d'être vus, le dimanche, un ruban vert à la queue.

L'année à la ferme avait été assez bonne, mais on était encore à court d'argent. Il fallait se procurer les briques, le sable et la chaux[2] pour l'école, et pour acquérir la machinerie du moulin
70 on devrait de nouveau économiser. Et il y avait l'huile des lampes et les bougies pour la maison, le sucre pour la table de Napoléon (qu'il avait interdit aux autres cochons, disant que ça engraisse), et en outre les réapprovisionnements ordinaires : outils, clous, ficelle, charbon, fil de fer, ferraille et biscuits de chiens. On
75 vendit une part de la récolte de pommes de terre et un peu de foin, et pour les œufs le contrat de vente fut porté à six cents par semaine. De la sorte, c'est à peine si les poules couvèrent assez de petits pour maintenir au complet leur effectif. Une première fois réduites en décembre, les rations le furent encore en février,
80 et, pour épargner l'huile, l'usage des lanternes à l'étable et à l'écurie fut prohibé[3]. Mais les cochons avaient encore la vie belle, apparemment, prenant même de l'embonpoint. Un après-midi de fin février, un riche et appétissant relent[4], tel que jamais les animaux n'en avaient humé[5] de pareil, flotta dans la cour. Il filtrait

---

1. **Pie** : au pelage bicolore (généralement noir et blanc).
2. **Chaux** : matériau issu du calcaire et utilisé pour la construction.
3. **Prohibé** : interdit.
4. **Relent** : odeur.
5. **Humé** : senti.

85   de la petite brasserie[1] située derrière la cuisine, que Jones avait laissée à l'abandon. Quelqu'un avança l'opinion qu'on faisait bouillir de l'orge. Les animaux reniflaient l'air avidement, et ils se demandaient si peut-être ils auraient un brouet[2] chaud pour leur souper. Mais il n'y eut pas de brouet chaud, et le dimanche

90   suivant on fit connaître que dorénavant tout l'orge serait réservé aux cochons. Le champ derrière le verger en avait été semé déjà, et la nouvelle transpira bientôt : tout cochon toucherait sa ration quotidienne de bière, une pinte[3] pour le commun d'entre eux, et pour Napoléon dix, servies dans la soupière de porcelaine de

95   Derby, marquée d'une couronne.

     S'il fallait souffrir bien des épreuves, on en était en partie dédommagé car on vivait bien plus dignement qu'autrefois. Et il y avait plus de chants, plus de discours, plus de défilés. Napoléon avait ordonné une Manifestation Spontanée hebdomadaire, avec pour

100   objet de célébrer les luttes et triomphes de la Ferme des Animaux. À l'heure convenue, tous quittaient le travail, et marchaient au pas cadencé, autour du domaine, une-deux, une-deux, et en formation militaire. Les cochons allaient devant, puis c'étaient, dans l'ordre, les chevaux, les vaches, les moutons, enfin la menue volaille. Les

105   chiens se tenaient en serre-file. Tout en tête du cortège avançait le petit coq noir. À eux deux Malabar et Douce portaient haut une bannière verte frappée de la corne et du sabot, avec cette inscription : « Vive le camarade Napoléon ! » Après quoi étaient récités des poèmes en l'honneur de Napoléon, puis Brille-Babil

110   prononçait un discours nourri des dernières nouvelles faisant état d'une production accrue en biens de consommation, et de temps en temps on tirait un coup de fusil. À ces Manifestations Spontanées, les moutons prenaient part avec une ferveur[4] inégalée.

---

1. Brasserie : lieu de fabrication de la bière.
2. Brouet : bouillon.
3. Pinte : demi-litre.
4. Ferveur : enthousiasme.

Quelque animal venait-il à se plaindre (comme il arrivait à des
115 audacieux, loin des cochons et des chiens) que tout cela était
perte de temps et qu'ils faisaient le pied de grue[1] dans le froid, les
moutons chaque fois leur imposaient silence, de leurs bêlements
formidables entonnant le mot d'ordre : *Quatrepattes, oui ! Deuxpattes,*
non ! Mais, à tout prendre, les animaux trouvaient plaisir à ces
120 célébrations. Ils étaient confortés dans l'idée d'être leurs propres
maîtres, après tout, et ainsi d'œuvrer à leur propre bien. Ainsi,
grâce aux chants et défilés, et aux chiffres et sommes de Brille-
Babil, et au fusil qui tonne et aux cocoricos du coquelet et au
drapeau au vent, ils pouvaient oublier, un temps, qu'ils avaient
125 le ventre creux.

En avril, la Ferme des Animaux fut proclamée République et
l'on dut élire un président. Il n'y eut qu'un candidat, Napoléon,
qui fut unanimement plébiscité[2]. Ce même jour, on apprit que
la collusion[3] de Boule de Neige avec Jones était étayée[4] sur des
130 preuves nouvelles. Lors de la bataille de l'Étable, Boule de Neige
ne s'en était pas tenu, comme les animaux l'avaient cru d'abord,
à tenter de les conduire à leur perte au moyen d'un stratagème.
Non, Boule de Neige avait ouvertement combattu dans les rangs de
Jones. De fait, c'était lui qui avait pris la tête des forces humaines,
135 et il était monté à l'assaut au cri de « Vive l'Humanité ! ». Et ces
blessures à l'échine que quelques animaux se rappelaient lui
avoir vues, elles lui avaient été infligées des dents de Napoléon.

Au cœur de l'été, le corbeau Moïse refit soudain apparition après
des années d'absence. Et c'était toujours le même oiseau : n'en
140 fichant pas une rame, et chantant les louanges de la Montagne
de Sucrecandi, tout comme aux temps du bon temps. Il se
perchait sur une souche, et battait des ailes, qu'il avait noires,

---

1. Faisaient le pied de grue : attendaient debout.
2. Plébiscité : élu à une large majorité.
3. Collusion : complot.
4. Étayée : appuyée.

et des heures durant il palabrait à la cantonade[1]. «Là-haut,
camarades – affirmait-il d'un ton solennel, en pointant vers le
145   ciel son bec imposant –, de l'autre côté du nuage sombre, là
se trouve la Montagne de Sucrecandi. C'est l'heureuse contrée
où, pauvres animaux que nous sommes, nous nous reposerons
à jamais de nos peines.» Il allait jusqu'à prétendre s'y être posé
un jour qu'il avait volé très, très haut. Et là il avait vu, à l'en
150   croire, un gâteau tout rond fait de bonnes graines (comme les
animaux n'en mangent pas beaucoup en ce bas monde), et des
morceaux de sucre qui poussent à même les haies, et jusqu'aux
champs de trèfle éternel. Bien des animaux l'en croyaient.
Nos vies présentes, se disaient-ils, sont vouées à la peine et à
155   la faim. Qu'un monde meilleur dût exister quelque part, cela
n'est-il pas équitable et juste? Mais ce qu'il n'était pas facile
d'expliquer, c'était l'attitude des cochons à l'égard de Moïse.
Ils étaient unanimes à proclamer leur mépris pour la Montagne
de Sucrecandi et toutes fables de cette farine[2], et pourtant le
160   laissaient fainéanter à la ferme, et même lui allouaient[3] un
bock[4] de bière quotidien.

Son sabot guéri, Malabar travailla plus dur que jamais. À la
vérité, cette année-là, tous les animaux peinèrent comme des
esclaves. Outre le contraignant train-train de la ferme, il y avait
165   la construction du nouveau moulin et celle de l'école des jeunes
gorets, commencée en mars. Quelquefois leur long labeur, avec
cette nourriture insuffisante, les épuisait, mais Malabar, lui, ne
faiblissait jamais. Il n'avait plus ses forces d'autrefois, mais rien
dans ses faits et gestes ne le trahissait. Seule son apparence avait
170   un peu changé. Sa robe était moins luisante, ses reins semblaient
se creuser. «Malabar va se requinquer avec l'herbe du printemps»,
disaient les autres, mais ce fut le printemps et Malabar ne reprit

---

1. **Palabrait à la cantonade**: enchaînait des discours destinés à qui voulait les entendre.
2. **Fables de cette farine**: balivernes de cet ordre-là.
3. **Allouaient**: attribuaient.
4. **Bock**: verre de bière d'un quart de litre.

pas de poids. Parfois, sur la pente qui conduit en haut de la carrière, à le voir bander[1] ses muscles sous le faix[2] d'un énorme
175 bloc de pierre, on aurait dit que rien ne le retenait debout que la volonté. À ces moments-là, on lisait sur ses lèvres sa devise : « Je travaillerai plus dur », mais la voix lui manquait. Une fois encore, Douce et Benjamin lui dirent de faire attention à sa santé, mais lui n'en faisait toujours qu'à sa tête. Son douzième
180 anniversaire était proche. Eh bien, advienne que pourra, pourvu qu'avant de prendre sa retraite il ait rassemblé un tas de pierres bien conséquent.

Tard un soir d'été, tout d'un coup une rumeur fit le tour de la ferme : quelque chose était arrivé à Malabar. Il était allé
185 tout seul pour traîner jusqu'au moulin encore une charretée de pierres. Et, bel et bien, la rumeur disait vrai. Quelques minutes ne s'étaient pas écoulées que des pigeons se précipitaient avec la nouvelle : « Malabar est tombé ! Il est couché sur le flanc et ne peut plus se relever ! »
190 Près de la moitié des animaux coururent au mamelon où se dressait le moulin. Malabar gisait là, étendu entre les brancards de la charrette, les flancs gluants de sueur, tirant sur l'encolure et le regard vitreux : incapable même de redresser la tête. Un mince filet de sang lui était venu à la bouche. Douce se mit à
195 genoux à côté de lui.

« Malabar, s'écria-t-elle, comment te sens-tu ?

– C'est les bronches, balbutia Malabar. Ça ne fait rien. Je crois que vous serez en mesure de finir le moulin sans moi. Il y a un tas de pierres bien conséquent. Je n'avais plus qu'un mois de
200 travail devant moi, de toute façon. Et pour tout te dire, j'avais hâte de prendre ma retraite. Et comme Benjamin se fait vieux, peut-être que lui aussi ils le laisseront prendre sa retraite pour me tenir compagnie.

---

1. **Bander** : tendre.
2. **Faix** : poids.

– Il faut qu'on t'aide tout de suite, dit Douce. Vite, que quelqu'un
205 prévienne Brille-Babil. »

Sans plus attendre, les animaux regagnèrent la ferme au
grand galop pour porter la nouvelle à Brille-Babil. Douce resta
seule sur place avec Benjamin qui, sans un mot, s'étendit à
côté de Malabar, et de sa longue queue se mit à chasser les
210 mouches qui l'embêtaient. Un quart d'heure plus tard à peu
près, Brille-Babil se présenta, plein de sollicitude[1]. Il déclara
que le camarade Napoléon avait appris avec la plus profonde
affliction[2] le malheur survenu à l'un des plus fidèles serviteurs
de la ferme, et que déjà il prenait ses dispositions pour le faire
215 soigner à l'hôpital de Willingdon. À ces mots, les animaux ne
se sentirent pas trop rassurés. À part Lubie et Boule de Neige,
jusque-là aucun animal n'avait quitté la ferme, et l'idée de remettre
leur camarade malade entre les mains des hommes ne leur
disait rien du tout. Néanmoins, Brille-Babil les rassura vite : le
220 vétérinaire de Willingdon s'occuperait de Malabar bien mieux
qu'on ne l'aurait pu à la ferme. Et à peu près une demi-heure
plus tard, une fois Malabar plus ou moins remis et debout tant
bien que mal, on le ramena clopin-clopant à l'écurie où Douce
et Benjamin lui avaient préparé un bon lit de paille.

225 Les deux jours suivants Malabar ne quitta pas son box. Les
cochons lui avaient fait remettre une grande fiole de remède
rose bonbon découverte dans une armoire de la salle de bains.
Douce lui administrait cette médecine deux fois par jour après
les repas. Le soir elle se couchait à côté de lui et, pendant que
230 Benjamin chassait les mouches, lui faisait la conversation. Malabar
déclarait n'être pas fâché de ce qui était arrivé. Une fois qu'il
aurait récupéré, il se donnait encore trois ans à vivre, et se faisait
une fête de couler des jours paisibles dans un coin de l'herbage.
Pour la première fois, il aurait des loisirs et pourrait se cultiver

---

1. Sollicitude : inquiétude affectueuse.
2. Affliction : douleur intense.

235 l'esprit. Il avait l'intention, disait-il, de passer le reste de sa vie à apprendre les vingt et une autres lettres de l'alphabet.

Cependant, Benjamin et Douce ne pouvaient retrouver Malabar qu'après les heures de travail, et ce fut au milieu de la journée que le fourgon vint le prendre. Les animaux étaient à sarcler des
240 navets sous la garde d'un cochon quand ils furent stupéfaits de voir Benjamin, accouru au galop des dépendances et brayant à tue-tête. Ils ne l'avaient jamais connu dans un état pareil – de fait, ils ne l'avaient même jamais vu prendre le galop. «Vite, vite! criait-il. Venez tout de suite! Ils emmènent Malabar!» Sans
245 attendre les ordres du cochon, les animaux plantèrent là le travail et se hâtèrent de regagner les bâtiments. Et, à n'en pas douter, il y avait dans la cour, tiré par deux chevaux et conduit par un homme à la mine chafouine[1], un melon rabattu sur le front, un immense fourgon fermé. Sur le côté du fourgon, on pouvait lire
250 des lettres en caractères imposants. Et le box de Malabar était vide.

Les animaux se pressèrent autour du fourgon, criant en chœur: «Au revoir, Malabar! Au revoir, au revoir!»

«Bande d'idiots! se mit à braire Benjamin. Il piaffait et trépignait de ses petits sabots. Bande d'idiots! Est-ce que vous ne voyez pas
255 comme c'est écrit sur le côté du fourgon?»

Les animaux se turent, et même ce fut un profond silence. Edmée s'était mise à épeler les lettres, mais Benjamin l'écarta brusquement, et dans le mutisme[2] des autres, lut:

«"Alfred Simmonds, Équarrisseur et Fabricant de Matières
260 adhésives, Willingdon. Négociant en Peaux et Engrais animal. Fourniture de chenils." Y êtes-vous maintenant? Ils emmènent Malabar pour l'abattre!»

Un cri d'horreur s'éleva, poussé par tous. Dans l'instant, l'homme fouetta ses chevaux et à bon trot le fourgon quitta la cour. Les
265 animaux s'élancèrent après lui, criant de toutes leurs forces.

---

1. **Chafouine**: sournoise.
2. **Mutisme**: silence.

Douce s'était faufilée en tête. Le fourgon commença à prendre de la vitesse. Et la jument, s'efforçant de pousser sur ses jambes trop fortes, tout juste avançait au petit galop. «Malabar! cria-t-elle, Malabar! Malabar! Malabar!» Et à ce moment précis, comme

270 si lui fût parvenu le vacarme du dehors, Malabar, à l'arrière du fourgon, montra le mufle et la raie blanche qui lui descendait jusqu'aux naseaux.

«Malabar! lui cria Douce d'une voix de catastrophe. Malabar! Sauve-toi! Sauve-toi vite! Ils te mènent à la mort!»

275 Tous les animaux reprirent son cri: «Sauve-toi, Malabar! Sauve-toi!» Mais déjà la voiture les gagnait de vitesse.

Il n'était pas sûr que Malabar eût entendu l'appel de Douce. Bientôt son visage s'effaça de la lucarne, mais ensuite on l'entendit tambouriner et trépigner à l'intérieur du fourgon, de tous ses

280 sabots. Un fracas terrifiant. Il essayait, à grandes ruades, de défoncer le fourgon. Le temps avait été où de quelques coups de sabot il aurait pulvérisé cette voiture. Mais hélas sa force l'avait abandonné, et bientôt le fracas de ses sabots tambourinant s'atténua puis s'éteignit.

285 Au désespoir, les animaux se prirent à conjurer les deux chevaux qui tiraient le fourgon. Qu'ils s'arrêtent donc! «Camarades, camarades! criaient les animaux, ne menez pas votre propre frère à la mort!» Mais c'étaient des brutes bien trop ignares[1] pour se rendre compte de ce qui était en jeu. Ces chevaux-là se

290 contentèrent de rabattre les oreilles et forcèrent le train.

Les traits de Malabar ne réapparurent plus à la lucarne. Trop tard, quelqu'un eut l'idée de filer devant et de refermer la clôture aux cinq barreaux. Le fourgon la franchissait déjà, et bientôt dévala la route et disparut.

295 On ne revit jamais Malabar.

Trois jours plus tard il fut annoncé qu'il était mort à l'hôpital de Willingdon, en dépit de tous les soins qu'on puisse donner à

---

1. Ignares: ignorantes.

un cheval. C'est Brille-Babil qui annonça la nouvelle. Il était là, dit-il, lors des derniers moments.

300 «Le spectacle le plus émouvant que j'aie jamais vu, déclara-t-il de la patte s'essuyant une larme. J'étais à son chevet tout à la fin. Et comme il était trop faible pour parler, il m'a confié à l'oreille son unique chagrin, qui était de rendre l'âme avant d'avoir vu le moulin achevé. "En avant, camarades! disait-il dans son dernier

305 souffle. En avant, au nom du Soulèvement! Vive la Ferme des Animaux! Vive le camarade Napoléon! Napoléon ne se trompe jamais!" Telles furent ses dernières paroles, camarades.»

Puis tout à trac[1] Brille-Babil changea d'attitude. Il garda le silence quelques instants, et ses petits yeux méfiants allaient de

310 l'un à l'autre. Enfin il reprit la parole.

Il avait eu vent, dit-il, d'une rumeur ridicule et perfide qui avait couru lors du transfert de Malabar à l'hôpital. Sur le fourgon qui emportait leur camarade, certains animaux avaient remarqué le mot «équarrisseur», et bel et bien en avaient conclu qu'on

315 l'emmenait chez l'abatteur de chevaux! Vraiment, c'était à ne pas croire qu'il y eût des animaux aussi bêtes. Sans nul doute, s'écria-t-il, indigné, la queue frémissante et sautillant de gauche à droite, sans nul doute les animaux connaissent assez leur chef bien-aimé, le camarade Napoléon, pour ne pas croire à des fables

320 pareilles. L'explication était la plus simple. Le fourgon avait bien appartenu à un équarrisseur, mais celui-ci l'avait vendu à un vétérinaire, et ce vétérinaire n'avait pas encore effacé l'ancienne raison sociale[2] sous une nouvelle couche de peinture. C'est ce qui avait pu induire en erreur.

325 Les animaux éprouvèrent un profond soulagement à ces paroles. Et quand Brille-Babil leur eut donné d'autres explications magnifiques sur les derniers moments de Malabar – les soins admirables dont il avait été entouré, les remèdes hors de prix

---

1. Tout à trac: tout à coup.
2. Raison sociale: nom de l'entreprise.

payés par Napoléon sans qu'il se fût soucié du coût –, alors leurs
330 derniers doutes furent levés, et le chagrin qu'ils éprouvaient de
la mort de leur camarade fut adouci à la pensée qu'au moins il
était mort heureux.

Le dimanche suivant, Napoléon en personne apparut à l'assemblée du matin, et il prononça une brève allocution pour célébrer
335 la mémoire du regretté camarade. Il n'avait pas été possible,
dit-il, de ramener ses restes afin de les inhumer[1] à la ferme,
mais il avait commandé une couronne imposante, qu'on ferait
avec les lauriers du jardin et qui serait déposée sur sa tombe. Les
cochons comptaient organiser, sous quelques jours, un banquet
340 commémoratif en l'honneur du défunt. Napoléon termina son
oraison funèbre[2] en rappelant les deux maximes préférées de
Malabar : « Je vais travailler plus dur » et « Le camarade Napoléon
ne se trompe jamais » – maximes, ajouta-t-il, que tout animal
gagnerait à faire siennes.

345 Au jour fixé du banquet, une camionnette d'épicier vint de
Willingdon livrer à la maison une grande caisse à claire-voie[3].
Cette nuit-là s'éleva un grand tintamarre de chansons, suivi, eût-on
dit, d'une querelle violente qui sur les onze heures prit fin dans
un fracas de verres brisés. Personne dans la maison d'habitation
350 ne donna signe de vie avant le lendemain midi, et le bruit courut
que les cochons s'étaient procuré, on ne savait où ni comment,
l'argent d'une autre caisse de whisky.

---

1. **Inhumer** : enterrer, ensevelir.
2. **Oraison funèbre** : discours prononcé en l'honneur d'un mort.
3. **À claire-voie** : dont les planches sont assez espacées pour laisser filtrer la lumière.

Les années passaient. L'aller et retour des saisons emportait la vie brève des animaux, et le temps vint où les jours d'avant le Soulèvement ne leur dirent plus rien. Seuls la jument Douce, le vieil âne atrabilaire[1] Benjamin, le corbeau apprivoisé Moïse et certains cochons se souvenaient encore.

La chèvre Edmée était morte ; les chiens, Fleur, Constance et Filou, étaient morts. Jones lui-même était mort alcoolique, pensionnaire d'une maison de santé, dans une autre partie du pays. Boule de Neige était tombé dans l'oubli. Malabar, aussi, était tombé dans l'oubli, sauf pour quelques-uns de ceux qui l'avaient connu. Douce était maintenant une vieille jument pansue[2], aux membres perclus[3] et aux yeux chassieux[4]. Elle avait dépassé de deux ans la limite d'âge des travailleurs, mais en fait jamais un animal n'avait profité de la retraite. Depuis belle lurette on ne parlait plus de réserver un coin de pacage[5] aux animaux sur le retour. Napoléon était un cochon d'âge avancé et pesait cent cinquante kilos, et Brille-Babil si bouffi de graisse que c'est à peine s'il pouvait entrouvrir les yeux. Seul le vieux Benjamin était resté le même, à part le mufle un peu

---

1. Atrabilaire : souvent de mauvaise humeur.
2. Pansue : au gros ventre.
3. Perclus : paralysés.
4. Chassieux : coulants.
5. Pacage : pâturage.

20 grisonnant, et, depuis la mort de Malabar, un caractère plus
que jamais revêche et taciturne[1].

Désormais les animaux étaient bien plus nombreux, quoique
sans s'être multipliés autant qu'on l'avait craint dans les premiers
jours. Beaucoup étaient nés pour qui le Soulèvement n'était
25 qu'une tradition sans éclat, du bouche à oreille. D'autres avaient
été achetés, qui jamais n'en avaient ouï parler avant leur arrivée
sur les lieux. En plus de Douce, il y avait maintenant trois chevaux
à la ferme : des animaux bien pris et bien campés[2], aimant le
travail et bons compagnons, mais tout à fait bornés. De l'alphabet,
30 aucun d'eux ne put retenir plus que les deux premières lettres.
Ils admettaient tout ce qu'on leur disait du Soulèvement et des
principes de l'Animalisme, surtout quand Douce les en entretenait,
car ils lui portaient un respect quasi filial, mais il est douteux
qu'ils y aient entendu[3] grand-chose.

35 La ferme était plus prospère maintenant et mieux tenue. Elle
s'était agrandie de deux champs achetés à Mr. Pilkington. Le
moulin avait été construit à la fin des fins. On se servait d'une
batteuse, et d'un monte-charge pour le foin, et il y avait de
nouveaux bâtiments. Whymper s'était procuré une charrette
40 anglaise. Le moulin, toutefois, n'avait pas été employé à produire
du courant électrique. Il servait à moudre le blé et rapportait de
fameux bénéfices. Les animaux s'affairaient à ériger un autre
moulin qui, une fois achevé, serait équipé de dynamos, disait-on.
Mais de toutes les belles choses dont Boule de Neige avait fait
45 rêver les animaux – la semaine de trois jours, les installations
électriques, l'eau courante chaude et froide –, on ne parlait plus.
Napoléon avait dénoncé ces idées comme contraires à l'esprit de

---

1. **Revêche et taciturne** : peu aimable et silencieux.
2. **Bien pris et bien campés** : de solide constitution.
3. **Entendu** : compris.

l'Animalisme. Le bonheur le plus vrai, déclarait-il, réside dans le travail opiniâtre[1] et l'existence frugale[2].

50   On eût dit qu'en quelque façon la ferme s'était enrichie sans rendre les animaux plus riches – hormis, assurément, les cochons et les chiens. C'était peut-être, en partie, parce qu'il y avait tellement de cochons et tellement de chiens. Et on ne pouvait pas dire qu'ils ne travaillaient pas, travaillant à leur

55 manière. Ainsi que Brille-Babil l'expliquait sans relâche, c'est une tâche écrasante que celle d'organisateur et de contrôleur, et une tâche qui, de par sa nature, dépasse l'entendement commun[3]. Brille-Babil faisait état des efforts considérables des cochons, penchés sur des besognes mystérieuses. Il parlait

60 dossiers, rapports, minutes, *memoranda*[4]. De grandes feuilles de papier étaient couvertes d'une écriture serrée et, dès qu'ainsi couvertes, jetées au feu. Cela, disait encore Brille-Babil, était d'une importance capitale pour la bonne gestion du domaine. Malgré tout, cochons et chiens ne produisaient pas de nourriture

65 par leur travail, et ils étaient en grand nombre et pourvus de bon appétit.

    Quant aux autres, autant qu'ils le pouvaient savoir, leur vie était comme elle avait toujours été. Ils avaient le plus souvent faim, dormaient sur la paille, buvaient l'eau de l'abreuvoir, labouraient

70 les champs. Ils souffraient du froid l'hiver et l'été des mouches. Parfois les plus âgés fouillaient dans le flou des souvenirs, essayant de savoir si, aux premiers jours après le Soulèvement, juste après l'expropriation de Jones, la vie avait été meilleure ou pire qu'à présent. Ils ne se rappelaient plus. Il n'y avait rien à quoi comparer

75 leurs vies actuelles ; rien à quoi ils pussent s'en remettre que les colonnes de chiffres de Brille-Babil, lesquelles invariablement prouvaient que tout toujours allait de mieux en mieux. Les

---

1. Opiniâtre : acharné.
2. Frugale : simple, qui se contente de peu.
3. Entendement commun : bon sens.
4. Minutes : comptes rendus ; *memoranda* : rapports officiels.

animaux trouvaient leur problème insoluble. De toute manière, ils avaient peu de temps pour de telles méditations, désormais.

80 Seul le vieux Benjamin affirmait se rappeler sa longue vie dans le menu détail, et ainsi savoir que les choses n'avaient jamais été, ni ne pourraient jamais être bien meilleures ou bien pires – la faim, les épreuves et les déboires[1], telle était, à l'en croire, la loi inaltérable[2] de la vie.

85 Et pourtant les animaux ne renoncèrent jamais à l'espérance. Mieux, ils ne cessèrent, fût-ce un instant, de tenir à honneur, et de regarder comme un privilège, leur appartenance à la Ferme des Animaux : la seule du comté[3] et même de toute l'Angleterre à être exploitée par les animaux. Pas un d'entre eux, même

90 parmi les plus jeunes ou bien ceux venus de fermes distantes de cinq à dix lieues[4], qui toujours ne s'en émerveillât. Et quand ils entendaient la détonation du fusil et voyaient le drapeau vert flotter au mât, leur cœur battait plus fort, ils étaient saisis d'un orgueil qui ne mourrait pas, et sans cesse la conversation revenait

95 sur les jours héroïques d'autrefois : l'expropriation de Jones, la loi des Sept Commandements, les grandes batailles et l'envahisseur taillé en pièces. À aucun des anciens rêves ils n'avaient renoncé. Ils croyaient encore à la bonne nouvelle annoncée par Sage l'Ancien : la République des Animaux. Alors, pensaient-ils, les verts

100 pâturages d'Angleterre ne seraient plus foulés par les humains. Le jour viendrait : pas tout de suite, pas de leur vivant peut-être. N'importe, le jour venait. Même l'air de *Bêtes d'Angleterre* était peut-être fredonné ici et là en secret. De toute façon, il était bien connu que chaque animal de la ferme le savait, même si nul ne se

105 fût enhardi[5] à le chanter tout haut. Leur vie pouvait être pénible,

---

1. **Déboires** : déceptions.
2. **Inaltérable** : qu'on ne peut pas changer.
3. **Comté** : région.
4. **Lieues** : unités de mesure de distance britanniques (une lieue correspond à environ cinq kilomètres).
5. **Ne se fût enhardi** : n'eût osé.

et sans doute tous leurs espoirs n'avaient pas été comblés, mais ils se savaient différents de tous les autres animaux. S'ils avaient faim, ce n'était pas de nourrir des humains tyranniques. S'ils travaillaient dur, au moins c'était à leur compte. Plus parmi eux
110 de deux pattes, et aucune créature ne donnait à aucune autre le nom de Maître. Tous les animaux étaient égaux.

Une fois, au début de l'été, Brille-Babil ordonna aux moutons de le suivre. Il les mena à l'autre extrémité de la ferme, jusqu'à un lopin de terre en friche[1] envahi par de jeunes bouleaux[2]. Là, ils
115 passèrent tout le jour à brouter les feuilles, sous la surveillance de Brille-Babil. Au soir venu, celui-ci regagna la maison d'habitation, disant aux moutons de rester sur place pour profiter du temps chaud. Il arriva qu'ils demeurèrent sur place la semaine entière, et tout ce temps les autres animaux point ne les virent. Brille-
120 Babil passait la plus grande partie du jour dans leur compagnie. Il leur apprenait, disait-il, un chant nouveau, dont le secret devait être gardé.

Les moutons étaient tout juste de retour que, dans la douceur du soir – alors que les animaux regagnaient les dépendances, le
125 travail fini –, retentit dans la cour un hennissement d'épouvante. Les animaux tout surpris firent halte. C'était la voix de Douce. Elle hennit une seconde fois, et tous les animaux se ruèrent dans la cour au grand galop. Alors ils virent ce que Douce avait vu.

Un cochon qui marchait sur ses pattes de derrière.

130 Et, oui, c'était Brille-Babil. Un peu gauchement, et peu accoutumé à supporter sa forte corpulence dans cette position, mais tout de même en parfait équilibre, Brille-Babil, déambulant à pas comptés, traversait la cour. Un peu plus tard, une longue file de cochons sortit de la maison, et tous avançaient sur leurs pattes
135 de derrière. Certains s'en tiraient mieux que d'autres, et un ou deux, un peu chancelants, se seraient bien trouvés d'une canne,

---

1. En friche : non cultivé.
2. Bouleaux : arbres fins aux troncs blancs.

mais tous réussirent à faire le tour de la cour sans encombre[1]. À la fin ce furent les aboiements formidables des chiens et l'ardent cocorico du petit coq noir, et l'on vit s'avancer Napoléon lui-même,

140 tout redressé et majestueux, jetant de droite et de gauche des regards hautains, les chiens gambadant autour de sa personne.

Il tenait un fouet dans sa patte.

Ce fut un silence de mort. Abasourdis et terrifiés, les animaux se serraient les uns contre les autres, suivant des yeux le long

145 cortège des cochons avec lenteur défilant autour de la cour. C'était comme le monde à l'envers. Puis, le premier choc une fois émoussé[2], au mépris de tout – de leur frayeur des chiens, et des habitudes acquises au long des ans de ne jamais se plaindre ni critiquer, quoi qu'il advienne – ils auraient protesté sans doute,

150 auraient élevé la parole. Mais alors, comme répondant à un signal, tous les moutons en chœur se prirent à bêler de toute leur force :

Quatrepattes, bon ! Deuxpattes, mieux ! Quatrepattes, bon ! Deuxpattes, mieux !

Ils bêlèrent ainsi cinq bonnes minutes durant. Et quand ils se

155 turent, aux autres échappa l'occasion de protester, car le cortège des cochons avait regagné la résidence.

Benjamin sentit des naseaux contre son épaule, comme d'un animal en peine qui aurait voulu lui parler. C'était Douce. Ses vieux yeux avaient l'air plus perdus que jamais. Sans un mot, elle

160 tira Benjamin par la crinière, doucement, et l'entraîna jusqu'au fond de la grange où les Sept Commandements étaient inscrits. Une minute ou deux, ils fixèrent le mur goudronné aux lettres blanches. Douce finit par dire :

« Ma vue baisse. Même au temps de ma jeunesse je n'aurais

165 pas pu lire comme c'est écrit. Mais on dirait que le mur n'est plus tout à fait le même. Benjamin, les Sept Commandements sont-ils toujours comme autrefois ? »

---

1. Encombre : incident, difficulté.
2. Émoussé : passé.

Benjamin, pour une fois consentant à rompre avec ses principes,
lui lut ce qui était écrit sur le mur. Il n'y avait plus maintenant
170 qu'un seul Commandement. Il énonçait :

TOUS LES ANIMAUX SONT ÉGAUX
MAIS CERTAINS SONT PLUS ÉGAUX QUE D'AUTRES

Après quoi le lendemain il ne parut pas étrange de voir les
cochons superviser le travail de la ferme le fouet à la patte. Il ne
175 parut pas étrange d'apprendre qu'ils s'étaient procuré un poste
de radio, faisaient installer le téléphone et s'étaient abonnés
à des journaux – des hebdomadaires rigolos, et un quotidien
populaire. Il ne parut pas étrange de rencontrer Napoléon faire
un tour de jardin la pipe à la bouche – non plus que de voir les
180 cochons endosser les vêtements de Mr. Jones tirés de l'armoire.
Napoléon lui-même se montra en veston noir, en culotte pour
la chasse aux rats et guêtres de cuir, accompagné de sa truie
favorite, dans une robe de soie moirée[1], celle que Mrs. Jones
portait les dimanches.
185 Un après-midi de la semaine suivante, plusieurs charrettes anglaises
se présentèrent à la ferme. Une délégation de fermiers du voisinage
avait été invitée à visiter le domaine. On leur fit inspecter toute
l'exploitation, et elle les trouva en tout admiratifs, mais le moulin
fut ce qu'ils apprécièrent le plus. Les animaux désherbaient un
190 champ de navets. Ils travaillaient avec empressement, osant à
peine lever la tête et ne sachant, des cochons et des visiteurs,
lesquels redouter le plus.
Ce soir-là on entendit, venus de la maison, des couplets braillés et
des explosions de rire. Et, au tumulte de ces voix entremêlées, tout
195 à coup les animaux furent saisis de curiosité. Que pouvait-il bien
se passer là-bas, maintenant que pour la première fois hommes et

---

1. Moirée : aux reflets chatoyants.

animaux se rencontraient sur un pied d'égalité? D'un commun
accord, ils se glissèrent à pas feutrés vers le jardin.

Ils font halte à la barrière, un peu effrayés de leur propre
200 audace, mais Douce montrait le chemin. Puis sur la pointe des
pattes avancent vers la maison, et ceux qui d'entre eux sont assez
grands pour ça hasardent, par la fenêtre de la salle à manger,
un coup d'œil à l'intérieur. Et là, autour de la longue table, se
tiennent une douzaine de fermiers et une demi-douzaine de
205 cochons entre les plus éminents. Napoléon lui-même préside, il
occupe la place d'honneur au haut bout de la table. Les cochons
ont l'air assis tout à leur aise. On avait joué aux cartes, mais c'est
fini maintenant. À l'évidence, un toast va être porté[1]. On fait
circuler un grand pichet de bière et chacun une nouvelle fois
210 remplit sa chope[2]. Personne n'a soupçonné l'ébahissement[3] des
animaux qui, de la fenêtre, voient ces choses.

Mr. Pilkington, de Foxwood, s'était levé, chope en main. Dans
un moment, dit-il, il porterait un toast, mais d'abord il croyait
de son devoir de dire quelques mots.

215 C'était pour lui – ainsi, il en était convaincu, que pour tous les
présents – une source de profonde satisfaction de savoir enfin
révolue une longue période de méfiance et d'incompréhension.
Un temps avait été – non que lui-même ou aucun des convives
aient partagé de tels sentiments –, un temps où les honorables
220 propriétaires de la Ferme des Animaux avaient été regardés, il se
garderait de dire d'un œil hostile, mais enfin avec une certaine
appréhension, par leurs voisins les hommes. Des incidents
regrettables s'étaient produits, des idées fausses avaient été
monnaie courante[4]. On avait eu le sentiment qu'une ferme que
225 s'étaient appropriée des cochons et qu'ils exploitaient était en
quelque sorte une anomalie, susceptible de troubler les relations

---

1. **Un toast va être porté**: un verre va être bu pour célébrer quelque chose.
2. **Chope**: verre à anse dans lequel se boit la bière.
3. **Ébahissement**: étonnement, stupéfaction.
4. **Monnaie courante**: fréquentes.

de bon voisinage. Trop de fermiers avaient tenu pour vrai, sans
enquête préalable sérieuse, que dans une telle ferme prévaudrait
un esprit de dissolution[1] et d'indiscipline. Ils avaient appréhendé
230 des conséquences fâcheuses sur leurs animaux, ou peut-être même
sur leurs humains salariés. Mais tous doutes semblables étaient
maintenant dissipés. Aujourd'hui lui et ses amis avaient visité
la Ferme des Animaux, en avaient inspecté chaque pouce, et
qu'avaient-ils trouvé? Non seulement des méthodes de pointe,
235 mais encore un ordre et une discipline méritant d'être partout
donnés en exemple. Il croyait pouvoir avancer à bon droit que
les animaux inférieurs de la Ferme des Animaux travaillaient plus
dur et recevaient moins de nourriture que tous autres animaux
du comté. En vérité, lui et ses amis venaient de faire bien des
240 constatations dont ils entendaient tirer profit sans délai dans
leurs propres exploitations.

Il terminerait sa modeste allocution, dit-il, en soulignant une
fois encore les sentiments d'amitié réciproque qui existent, et
continueront d'exister, entre la Ferme des Animaux et les fermes
245 voisines. Entre cochons et hommes il n'y a pas, et il n'y a pas de
raison qu'il y ait, un conflit d'intérêts quelconque. Les luttes et
les vicissitudes[2] sont identiques. Le problème de la main-d'œuvre
n'est-il pas partout le même?

À ce point, il n'échappa à personne que Mr. Pilkington était
250 sur le point d'adresser à la compagnie quelque pointe d'esprit[3],
méditée de longue main[4]. Mais pendant quelques instants il eut
trop envie de rire pour l'énoncer. S'étranglant presque, et montrant
un triple menton violacé, il finit par dire: «Si vous avez affaire aux
animaux inférieurs, nous c'est aux classes inférieures.» Ce bon
255 mot mit la tablée en grande joie. Et de nouveau Mr. Pilkington

---

1. **Dissolution**: débauche.
2. **Vicissitudes**: épreuves.
3. **Pointe d'esprit**: fine plaisanterie.
4. **De longue main**: depuis longtemps.

congratula[1] les cochons sur les basses rations, la longue durée du travail et le refus de dorloter les animaux de la ferme.

Et maintenant, dit-il en conclusion, qu'il lui soit permis d'inviter la compagnie à se lever, et que chacun remplisse sa chope. « Messieurs,
260 conclut Pilkington, Messieurs, je porte un toast à la prospérité de la Ferme des Animaux. »

On acclama, on trépigna, ce fut le débordement d'enthousiasme. Napoléon, comblé, fit le tour de la table pour, avant de vider sa chope, trinquer avec Mr. Pilkington. Les vivats[2] apaisés, il demeura
265 debout, signifiant qu'il avait aussi quelques mots à dire.

Comme tous ses discours, celui-ci fut bref mais bien en situation. Lui aussi, dit-il, se réjouissait que la période d'incompréhension fût à son terme. Longtemps des rumeurs avaient couru – lancées, il avait lieu de le croire, par un ennemi venimeux –, selon lesquelles
270 ses idées et celles de ses collègues avaient quelque chose de subversif[3] pour ne pas dire de révolutionnaire. On leur avait imputé l'intention de fomenter la rébellion parmi les animaux des fermes avoisinantes. Rien de plus éloigné de la vérité ! Leur unique désir, maintenant comme dans le passé, était de vivre en paix
275 avec leurs voisins et d'entretenir avec eux des relations d'affaires normales. Cette ferme, qu'il avait l'honneur de gérer, ajouta-t-il, était une entreprise coopérative[4]. Les titres de propriété, qu'il avait en sa propre possession, appartenaient à la communauté des cochons.

280 Il ne croyait pas, dit-il, que rien subsistât de la suspicion d'autrefois, mais certaines modifications avaient été récemment introduites dans les anciennes habitudes de la ferme qui auraient pour effet de promouvoir une confiance encore accrue. Jusqu'ici les animaux avaient eu pour coutume, assez sotte, de s'adresser l'un
285 à l'autre en s'appelant « camarade ». Voilà qui allait être aboli.

---

1. **Congratula** : félicita.
2. **Vivats** : acclamations.
3. **Subversif** : qui cherche à renverser l'ordre établi.
4. **Coopérative** : fondée sur l'action commune de plusieurs individus.

Une autre coutume singulière, d'origine inconnue, consistait à défiler chaque dimanche matin devant le crâne d'un vieux verrat, cloué à un poteau du jardin. Cet usage serait aboli également, et déjà le crâne avait été enterré. Enfin ses hôtes avaient peut-être remarqué le drapeau vert en haut du mât. Si c'était le cas, alors ils avaient remarqué aussi que le sabot et la corne, dont il était frappé naguère, n'y figuraient plus. Le drapeau, dépouillé de cet emblème, serait vert uni désormais.

Il n'adresserait qu'une seule critique à l'excellent discours de bon voisinage de Mr. Pilkington, qui s'était référé tout au long à la « Ferme des Animaux ». Il ne pouvait évidemment pas savoir – puisque lui, Napoléon, en faisait la révélation en ce moment – que cette raison sociale avait été récusée[1]. La ferme serait connue à l'avenir sous le nom de « Ferme du Manoir » – son véritable nom d'origine, sauf erreur de sa part.

« Messieurs, conclut Napoléon, je vais porter le même toast que tout à l'heure, mais autrement formulé. Que chacun remplisse sa chope à ras bord. Messieurs, je bois à la prospérité de la Ferme du Manoir ! »

Ce furent encore des acclamations chaleureuses, et les chopes furent vidées avec entrain. Mais alors que les animaux observaient la scène du dehors, il leur parut que quelque chose de bizarre était en train de se passer. Pour quelle raison les traits des cochons n'étaient-ils plus tout à fait les mêmes ? Les yeux fatigués de Douce glissaient d'un visage à l'autre. Certains avaient un quintuple menton, d'autres avaient le menton quadruple et d'autres triple. Mais qu'est-ce que c'était qui avait l'air de se dissoudre, de s'effondrer, de se métamorphoser ? Les applaudissements s'étaient tus. Les convives reprirent la partie de cartes interrompue, et les animaux silencieux filèrent en catimini[2].

---

1. Récusée : rejetée.
2. En catimini : avec discrétion.

Ils n'avaient pas fait vingt mètres qu'ils furent cloués sur place. Des vociférations partaient de la maison. Ils se hâtèrent de revenir mettre le nez à la fenêtre. Et, de fait, une querelle violente était en cours. Ce n'étaient que cris, coups assenés sur la table, regards 320 aigus et soupçonneux, dénégations furibondes[1]. La cause du charivari[2] semblait due au fait que Napoléon et Mr. Pilkington avaient abattu un as de pique en même temps.

Douze voix coléreuses criaient et elles étaient toutes les mêmes. Il n'y avait plus maintenant à se faire de questions sur les traits 325 altérés[3] des cochons. Dehors, les yeux des animaux allaient du cochon à l'homme et de l'homme au cochon, et de nouveau du cochon à l'homme ; mais déjà il était impossible de distinguer l'un de l'autre.

---

1. **Dénégations furibondes** : protestations furieuses.
2. **Charivari** : vacarme.
3. **Altérés** : transformés.

Un quiz pour commencer

Cochez les bonnes réponses.

1 *À qui Napoléon vend-il le bois du moulin ?*

- ☐ À Mr. Frederick.
- ☐ À Mr. Whymper.
- ☐ À Mr. Pilkington.

2 *Quel problème survient lors de la vente de ce bois ?*

- ☐ Le montant payé est insuffisant.
- ☐ Les billets de banque sont faux.
- ☐ L'acquéreur refuse de payer.

3 *Comment se termine l'attaque du moulin par Frederick ?*

- ☐ Les hommes détruisent le moulin et remportent la victoire.
- ☐ Les animaux détruisent le moulin et remportent la victoire.
- ☐ Les hommes détruisent le moulin et les animaux remportent la victoire.

4 *Peu de temps après cette bataille, pourquoi Napoléon est-il souffrant ?*

❐ Il a été blessé lors du combat contre Frederick.

❐ Il a consommé trop de whisky.

❐ Il est arrivé à la fin de sa vie.

5 *En avril, quel régime politique est officiellement proclamé ?*

❐ Une république.

❐ Une monarchie.

❐ Une oligarchie.

6 *Qu'advient-il de Malabar malade ?*

❐ Il est envoyé chez le vétérinaire de Willingdon.

❐ Il est vendu à un équarrisseur.

❐ Il est guéri par les cataplasmes de Douce.

7 *Quelle terrible découverte Douce fait-elle un jour ?*

❐ Elle découvre que les cochons exécutent des animaux en secret.

❐ Elle découvre que les cochons marchent sur leurs deux pattes arrière.

❐ Elle découvre que les cochons ont détruit la maison de Mr. Jones.

8 *Que devient le Septième et désormais unique commandement à la fin de l'histoire ?*

❐ « Tous les animaux sont égaux mais les cochons sont supérieurs ».

❐ « Tous les animaux sont égaux mais certains sont inférieurs aux autres. »

❐ « Tous les animaux sont égaux mais certains sont plus égaux que d'autres. »

9 *Comment les cochons se comportent-ils avec les hommes à la fin du roman ?*

❐ Ils font des affaires avec eux et se comportent et s'habillent comme eux.

❐ Ils refusent de leur adresser la parole et les chassent du domaine.

❐ Ils décident de leur rendre la ferme et de se remettre à leur service.

Des questions pour aller plus loin

→ *Analyser la visée de l'apologue*

Des animaux naïfs et manipulés

1 Relevez des expressions du chapitre 8 qui évoquent les sentiments que les animaux nourrissent à l'égard de Napoléon. Que pensez-vous des épithètes que lui attribuent les cochons lignes 47 à 49 (p. 98) ?

2 (Langue) Observez les lignes 64 à 70 (p. 125) du chapitre 10. Quel est le temps dominant et pourquoi est-il employé ?

3 Quels contrastes ce même passage (l. 64-70, p. 125) fait-il apparaître ? Reportez vos réponses dans le tableau suivant.

Cochons et chiens	Autres animaux

4 Comment expliquez-vous que les animaux ont toujours le sentiment d'être « leurs propres maîtres » ? Appuyez-vous sur l'ensemble de ces chapitres et particulièrement sur les lignes 96 à 125 du chapitre 9 (p. 114-115).

Un récit cyclique

5 Dans le chapitre 8, quels sont les deux événements qui se répètent et ont déjà été vécus par les animaux ?

6 Observez les lignes 98 à 103 du chapitre 10 (p. 126). En quoi ce passage fait-il écho aux deux premiers chapitres ? Que peut-on en déduire sur la mémoire collective des animaux ?

7 Lors de la visite des hommes au chapitre 10, quelle ultime modification Napoléon apporte-t-il à la Ferme ? Comparez son discours final à celui de Sage l'Ancien au début du roman : que pouvez-vous en conclure ?

8 Quel est le seul animal qui se souvient de toute l'histoire de la ferme ? Montrez que son expérience nourrit chez lui une vision pessimiste de la vie.

Une réflexion politique et économique

9 En vous appuyant sur le discours de Pilkington au chapitre 10 (p. 130-131), expliquez pourquoi la Ferme des Animaux est considérée comme un modèle par les fermiers voisins. Pensez-vous que l'auteur adhère à ces considérations économiques ? Justifiez.

10 Sur Internet, recherchez la traduction de l'expression allemande « Arbeit macht frei » et l'utilisation que les nazis en ont faite. Quel lien pouvez-vous établir entre cette devise et le passage du chapitre 10, lignes 108 à 111 (p. 127) ?

11 En vous appuyant sur ces trois chapitres, montrez comment les cochons ressemblent de plus en plus aux hommes. Peut-on dire que Napoléon a remplacé Mr. Jones ?

ⓩoom sur le sort final des animaux (p. 125-129, l. 50 à 172)

12 Observez le début de ce passage et relevez les expressions qui expriment l'incompréhension: à qui peut-on attribuer ce sentiment?

13 Quels arguments Brille-Babil avance-t-il pour répondre aux doutes des animaux? Ces arguments vous semblent-ils convaincants?

14 En vous appuyant sur la construction des phrases et des paragraphes, montrez comment le narrateur dramatise la découverte de Douce et en souligne le caractère choquant (p. 127-128, l. 111 à 142).

15 En quoi la réécriture du dernier et désormais unique commandement est-elle particulièrement absurde? Développez votre réponse en vous appuyant sur la construction de la phrase.

✔ Rappelez-vous!

• Le rêve de Sage l'Ancien se révèle être une **utopie**: un projet imaginaire dont la réalisation est impossible. Le **dénouement** du récit renvoie au commencement de l'histoire et la situation des animaux est même pire qu'au départ. Les animaux sont exploités et manipulés par les cochons, et leurs conditions de vie sont encore plus dures qu'avant la révolte.

• Cet apologue a une **visée philosophique** puisqu'il invite le lecteur à réfléchir à la nature de l'Homme et aux systèmes économiques et politiques. La société est construite sur des **relations de domination** entre dirigeants et exécutants, tyrans et sujets soumis dans les régimes totalitaires, et l'Histoire semble vouée à se répéter indéfiniment.

De la lecture à l'expression orale et écrite

💬✏ *Des mots pour mieux s'exprimer*

1 *Reliez chaque type de discours à celui qui le produit.*

Un discours •   • Un prêtre

Une plaidoirie •   • Un procureur

Un sermon •   • Un homme politique

Un réquisitoire •   • Un avocat

Un pamphlet •   • Un écrivain

2 *Retrouvez parmi les mots suivants les couples de synonymes.*

| Assujetti | Despote | Dissident | Écraser |

| Insurrection | Joug | Opposant | Oppression |

| Réprimer | Soulèvement | Soumis | Tyran |

3 *Classez les couples de synonymes de l'exercice 2 dans le tableau suivant.*

Dominants	Dominés	Rebelles

🎙 *La parole est à vous*

1 À votre avis, ce roman évoque-t-il exclusivement des événements historiques précis ou a-t-il une portée plus large ?

Consignes. Exprimez votre point de vue sur cette question en prise de parole continue (2 à 3 minutes). Au préalable, listez et classez vos arguments au brouillon.

2 Imaginez que Boule de Neige revienne à la ferme alors que les cochons et les hommes pactisent à la fin du chapitre 10.

Consignes. Rédigez le discours qu'il adressera à Napoléon pour condamner ses abus. Votre texte, d'une vingtaine de lignes, sera ensuite lu devant la classe. Vous apporterez un soin particulier au ton, au volume et au débit de votre discours.

✍ *À vous d'écrire*

1 Deux animaux menacent de quitter la ferme car ils ne supportent plus les conditions de vie et de travail qu'imposent les cochons. Imaginez le discours que leur adresse Brille-Babil pour les retenir et les convaincre des avantages de la vie à la Ferme des Animaux.

Consignes. Au brouillon, dressez la liste des arguments des animaux souhaitant partir, puis vous donnerez la parole à Brille-Babil pour réfuter chacun d'entre eux. Votre texte d'une quarantaine de lignes utilisera différents procédés argumentatifs (questions oratoires, répétitions, concessions, etc.).

2 Pensez-vous que le rôle de la littérature est d'encourager les lecteurs à réfléchir sur leur société et à la critiquer ?

Consignes. Vous développerez votre réflexion de façon organisée en une trentaine de lignes.

Du texte à l'image

Histoire des arts

• Affiche du mouvement des travailleurs bolcheviques avec Karl Marx, Friedrich Engels, Lénine et Staline, 1936.
• Caricature de Staline et de ses collaborateurs sans tête, première page du journal français *Aux Écoutes*, 1936.
• Caricature de Staline surnommé Jojo la Colombe, affiche française, 1951.
➡ **Images reproduites en fin d'ouvrage, au verso de la couverture.**

👁 *Lire l'image*

1 Quel personnage historique et quelle couleur retrouve-t-on dans chacune de ces images ? Pourquoi ?

2 Expliquez la composition de l'affiche : qui sont les quatre hommes et comment sont-ils représentés ? Dans quel but ?

3 Quels éléments des deux autres images relèvent de la caricature ?

📄 *Comparer le texte et l'image*

4 Quels éléments de l'affiche évoquent des épisodes du roman ? Identifiez et associez les éléments à des épisodes précis de l'œuvre.

5 En quoi les caricatures relèvent-elles de l'ironie ?

6 En vous aidant du titre et des légendes, identifiez l'intention cachée derrière chaque image.

✏ *À vous de créer*

7 🔎 Recherchez sur Internet d'autres représentations de Staline. Distinguez celles qui le glorifient de celles qui le critiquent puis choisissez-en une de chaque que vous présenterez en classe.

8 Imaginez une affiche de propagande qui illustrerait la situation des animaux dans la ferme dirigée par Napoléon. Réalisez cette affiche à l'aide de dessins ou de collages.

Arrêt sur l'œuvre

Des questions sur l'ensemble de l'œuvre

Une contre-utopie

1 En vous appuyant sur les premiers chapitres du roman, proposez une définition de l'Animalisme théorisé par Sage l'Ancien. Le système politique mis en place par les cochons dans la suite du roman est-il fidèle à ces théories ? Justifiez votre réponse.

2 Les Sept Commandements de la Ferme sont, tout au long de l'histoire, modifiés et réécrits. Complétez et continuez le tableau suivant pour mettre en évidence les transformations apportées. Quelles remarques pouvez-vous faire ?

Commandements	Version de départ (chap. 2)	Modification apportée
[n° 1]		

3 Complétez l'axe ci-dessous avec les lettres correspondant aux différents événements et régimes politiques qui se succèdent dans le roman. Quelle vision de la révolte l'auteur nous propose-t-il ? **a.** Bataille de l'Étable ; **b.** Bataille du Moulin à Vent ; **c.** Construction du moulin à vent ; **d.** Coup d'État de Napoléon ; **e.** Discours de Sage l'Ancien ; **f.** Échec de la révolution ; **g.** Exécutions ; **h.** Proclamation de la République ; **i.** Soulèvement et mise en place de la démocratie.

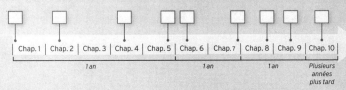

4 La contre-utopie est la description d'un monde où l'idéal (l'utopie) a échoué. Les thèmes dominants de la contre-utopie sont les pouvoirs totalitaires, l'impossible liberté, la violence et la déshumanisation. Rédigez un court paragraphe qui montre en quoi la Ferme des Animaux correspond à un monde contre-utopique.

Des symboles à interpréter

5 À l'aide d'un dictionnaire, recherchez les définitions des genres littéraires suivants : apologue, fable et conte philosophique. Réalisez une carte mentale grâce au logiciel Freemind en illustrant chaque caractéristique de ces genres par des exemples issus de *La Ferme des animaux*.

6 a. Classez les personnages suivants en fonction de la catégorie à laquelle ils appartiennent : les oppresseurs, les opposants politiques, les collaborateurs et les sceptiques.

b. Pourquoi peut-on dire que le personnage de Moïse, le corbeau, a une place à part et qu'il est représentatif de l'institution religieuse ? Justifiez votre réponse.

7 Recherchez les symboles présents sur le drapeau de l'URSS : que signifient-ils ? Quels liens pouvez-vous établir entre ces derniers et la corne et le sabot qui figurent sur le drapeau de la Ferme des Animaux ?

8 À l'aide de votre lecture, de vos précédentes recherches et de vos connaissances personnelles, associez à chaque animal le personnage historique qu'il pourrait représenter.

Sage l'Ancien	●	● Joseph Goebbels
Napoléon	●	● Karl Marx
Brille-Babil	●	● George Orwell
Benjamin	●	● Joseph Staline

Une allégorie politique

9 À l'aide de quels moyens les cochons assurent-ils leur domination sur les autres animaux ? À quelles dictatures de l'Histoire cela fait-il écho ?

10 Saisissez **http://www.ina.fr/video/AFE86001794** dans la barre d'adresse de votre navigateur. Visionnez la vidéo. Quels liens pouvez-vous établir entre ce document et *La Ferme des Animaux* ?

11 Au terme du roman, qualifieriez-vous le Soulèvement de succès ? Que critique l'auteur dans tout système politique, selon vous ?

12 Comment expliquez-vous l'échec de la révolution animale ?

13 À la manière d'une fable, proposez une morale à ce récit. Elle prendra la forme d'une phrase écrite au présent de vérité générale.

Des mots pour mieux s'exprimer

Lexique de la révolte

Contestation: action de remettre en cause l'ordre social, politique, économique établi et de critiquer les institutions existantes ou l'idéologie dominante.

Coup d'État: renversement du régime en place et prise du pouvoir par la force.

Désobéissance: refus de se soumettre à une autorité ou à une loi.

Émeute: soulèvement populaire, mouvement d'agitation et de violence.

Fronde: révolte de courte durée d'un groupe social contestant les institutions.

Indignation: sentiment de colère ou de révolte que provoque quelqu'un ou quelque chose.

Insurrection: action de se soulever contre l'ordre établi pour le renverser.

Jacquerie: révolte paysanne.

Putsch: coup d'État militaire.

Protestation: action, fait de protester, de réclamer, de s'élever contre quelque chose.

Réprobation: jugement par lequel quelqu'un blâme la conduite, le comportement de quelqu'un d'autre.

Révolte: action menée par un groupe de personnes qui s'opposent à l'autorité établie et tentent de la renverser.

Révolution: changement brusque et violent dans la structure politique et sociale d'un État, qui se produit quand un groupe se révolte contre les autorités en place et prend le pouvoir.

Sédition: insurrection contre une autorité établie.

Soulèvement: mouvement collectif et massif de révolte.

Tollé: cri d'indignation et de colère.

Mots mêlés

Retrouvez les seize mots du lexique de la révolte dans la grille suivante.

F	I	L	N	I	N	D	I	G	N	A	T	I	O	N	I	A	S
C	M	E	O	H	R	E	P	R	O	B	A	T	I	O	N	R	O
O	E	R	C	O	U	S	H	O	U	E	I	R	T	O	L	T	U
N	A	T	N	E	L	O	E	A	U	I	K	E	S	J	E	E	L
T	N	G	I	A	N	B	S	D	R	G	L	V	R	A	U	I	E
E	F	P	R	O	T	E	S	T	A	T	I	O	N	C	E	O	V
S	R	E	F	C	J	I	M	E	U	I	N	L	L	Q	R	N	E
T	O	L	L	E	O	S	E	R	L	N	G	T	I	U	A	M	M
A	N	R	J	M	I	S	E	F	O	E	H	E	E	E	M	S	E
T	D	A	M	E	H	A	N	O	E	T	R	A	O	R	R	T	N
I	E	E	G	U	I	N	S	U	R	R	E	C	T	I	O	N	T
O	I	P	U	T	S	C	H	M	I	U	O	B	E	E	T	O	I
N	O	F	G	E	R	E	V	O	L	U	T	I	O	N	U	E	U
S	E	D	I	T	I	O	N	C	O	U	P	D	E	T	A	T	V

147

Lexique de la critique et des idées

Adhésion: action d'adhérer à un projet, une idée, une doctrine.

Argumenter: justifier, appuyer une thèse, à l'aide d'arguments.

Convaincre: amener quelqu'un, par des raisons ou des preuves, à reconnaître quelque chose comme vrai ou nécessaire.

Critique: jugement porté sur quelque chose pour en faire ressortir les défauts.

Doctrine: ensemble de croyances ou de principes traduisant une conception de l'univers ou de la société, et s'accompagnant de la formulation de règles de pensée ou de conduite.

Dogme: principe donné comme certain et imposé comme vérité indiscutable.

Idéologie: système d'idées générales constituant une doctrine philosophique ou politique.

Incriminer: mettre quelqu'un ou quelque chose en cause, les dénoncer comme responsables.

Objecter: opposer un argument à quelque chose ou à quelqu'un, avancer une objection.

Opinion: jugement, avis, sentiment émis sur un sujet.

Parti-pris: opinion préconçue, position arrêtée une fois pour toutes.

Partisan: personne qui est attachée à une cause, à un parti, à une doctrine, dont elle prend la défense.

Persuader: convaincre quelqu'un de quelque chose en faisant appel à ses sentiments.

Réfuter: démontrer la fausseté d'une accusation par des preuves contraires.

Réprobation: jugement par lequel on blâme la conduite de quelqu'un.

Satire: écrit moqueur par lequel on critique vivement quelqu'un ou quelque chose.

Théorie: ensemble relativement organisé d'idées ou de concepts se rapportant à un domaine déterminé.

Mots croisés

Tous les mots à placer dans la grille suivante se trouvent dans le lexique de la critique et des idées.

Horizontalement

1. « Quatre-pattes oui ! deux-pattes non ! » est une idée arrêtée par les animaux dès le début du roman, c'est un...

2. Boule de Neige est considéré comme le responsable de tous les maux de la ferme, aussi les cochons ne cessent-ils de l'...

3. Malabar adhère au ... selon lequel « Napoléon ne se trompe jamais ».

Verticalement

A. Brille-Babil construit ses discours de telle sorte qu'aucun animal ne puisse jamais rien lui...

B. Au début du roman, le discours de Sage l'Ancien convainc tous les animaux : il remporte l'... collective.

C. *La Ferme des animaux* est un texte qui critique de façon implicite et humoristique la dictature de Staline en URSS, c'est une...

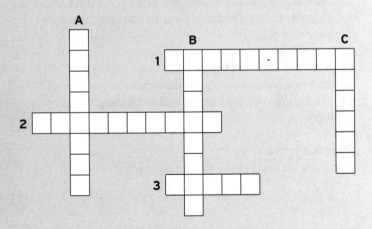

À vous de créer

1 *Écrire un apologue : des animaux pour critiquer les hommes*
À la manière de George Orwell, écrivez un texte en prose qui mettra
en scène des animaux pour dénoncer ou critiquer une situation,
des événements ou des personnes que vous jugez condamnables.
Ce travail est à réaliser par groupes de deux.
Votre texte comportera au moins quarante lignes (travail d'écriture
longue).

Étape 1. Choix de la cible de votre critique
Déterminez un personnage historique dont vous réprouvez
les actes, un événement ou une situation particulièrement injuste
ou révoltant. Dressez au brouillon la liste des aspects que vous
voulez critiquer.

Étape 2. Sélection des animaux
Trouvez des animaux qui représenteront les personnages
ou catégories sociales. Attribuez à vos animaux des caractéristiques
morales précises.

Étape 3. Préparation de l'apologue
Construisez le schéma narratif de votre histoire et imaginez
une morale. Préparez votre travail au brouillon puis recopiez-le
au propre.

Étape 4. Lecture
Lisez votre texte à la classe de façon dynamique et expressive.

2 *Imaginer une couverture*

Vous êtes l'éditeur de *La Ferme des animaux* de George Orwell et vous imaginez une illustration de couverture pour votre volume. Réalisez cette première de couverture.

Étape 1. Travail de recherche

Recherchez des images sur un moteur de recherche ou réalisez-les vous-même sur le support de votre choix (peinture, dessin, collage, montage d'images).

Étape 2. Mise en page

Faites apparaître le titre de l'œuvre, son auteur, ainsi que le nom de votre maison d'édition.

Organisez le texte et l'image afin que votre couverture soit parfaitement lisible. Le travail doit être réalisé sur ordinateur avec un logiciel de traitement de texte et d'image : vous devrez donc scanner vos dessins ou montages.

Étape 3. Présentation

Présentez le résultat de votre travail à vos camarades en justifiant vos choix d'illustration et de mise en page.

Arrêt sur l'œuvre

Groupements de textes

Groupement 1

Des animaux pour critiquer les hommes

Phèdre, « Le Geai orgueilleux et le Paon »

Auteur de cinq recueils de fables, le fabuliste latin Phèdre (14 av. J.-C.-50 apr. J.-C.) s'inspire de son prédécesseur grec Ésope auquel il emprunte personnages et thématiques. Cette fable, qui présente une satire de l'orgueil, est à l'origine du « Geai paré des plumes du paon » de Jean de La Fontaine.

Ne vous glorifiez pas des avantages d'autrui[1], mais vivez plutôt content de votre état, d'après cet exemple qu'Ésope nous a laissé.

Enflé d'un vain[2] orgueil, un Geai ramassa les plumes d'un
5 Paon, et s'en fit une parure[3] ; puis, méprisant ses pareils, il va se mêler à une troupe de superbes Paons, mais ils arrachèrent

---

1. D'autrui : des autres.
2. Vain : inutile et, ici, excessif.
3. S'en fit une parure : s'en habilla.

le plumage à l'oiseau impudent[1], et le chassèrent à coups de bec.

Tout maltraité, le Geai revenait tout confus vers les oiseaux de son espèce : repoussé par eux, il eut encore à supporter cette honte.

Un de ceux qu'il avait autrefois regardés avec mépris, lui dit alors : « Si tu avais su vivre parmi nous, et te contenter de ce que t'avait donné la nature, tu n'aurais pas d'abord essuyé un affront[2], et, dans ton malheur, tu ne te verrais point chassé par nous. »

Phèdre, « Le Geai orgueilleux et le Paon », *Fables* [Ier siècle], trad. du latin par M. B. Panckoucke, éditions Garnier Frères, 1864.

Le Roman de Renart

Écrit en langue romane entre 1170 et 1250, ce récit relate les aventures du rusé Renart. Les différents auteurs de ces épisodes, pour la plupart anonymes, entreprennent de faire la satire de la société du Moyen Âge. Dans cet extrait, après avoir multiplié vols et autres tromperies, Renart doit répondre de ses actes devant le roi Noble, un lion qui rend la justice.

– Mon Roi, je vous salue, comme celui de vos barons[3] qui a, plus que tous les autres, mis depuis bien longtemps sa vaillance à votre service. Ceux qui me calomnient[4] auprès de vous commettent une grave injustice. Je ne sais pas à quoi cela tient, et peut-être que c'est mon destin, mais je n'ai jamais pu être certain de votre amitié toute une journée… Je suis parti de votre Cour avant-hier, jouissant de votre faveur et de votre bienveillance ; sans reproche de votre part, sans que vous me montriez de la colère. Maintenant vos perfides courtisans qui

---

1. **Impudent** : insolent.
2. **Essuyé un affront** : subi une humiliation.
3. **Barons** : seigneurs.
4. **Me calomnient** : nuisent à ma réputation par de fausses accusations.

10 cherchent à se venger de moi ont si bien travaillé que vous
m'avez condamné à tort. Mais sire, quand un monarque se met
à croire les mauvais larrons[1], quand il lâche pour ceux-là les
plus fidèles de ses barons et, renversant l'ordre des choses, met
en haut ce qui doit être en bas, alors sa terre et son royaume
15 courent à la catastrophe. Car ceux qui sont serfs[2] par nature
ne savent jamais s'arrêter à temps. Dès qu'ils ont pu s'élever
à des rangs supérieurs, ils travaillent à nuire aux autres. Ils
encouragent les exactions[3] car ils savent en faire leur profit.
Le bien d'autrui finit dans leur bourse. Et donc, je voudrais
20 bien savoir ce que Brun[4] et Tibert[5] me reprochent. C'est vrai
que, sur un ordre du roi, ils pourraient me causer beaucoup
de tort. Je ne leur ai pourtant rien fait. En tout cas, ils ne
peuvent pas dire quoi. Si Brun a mangé le miel de Lanfroi, et
que le vilain s'est payé en l'étrillant[6] comme un baudet[7], pour-
25 quoi l'ours ne s'est-il pas vengé? Il a pourtant de ces mains, de
ces pieds, de gros mollets, de la détente!... Si messire Tibert
le chat, pris sur le fait à manger des rats, a reçu une fessée
notoire[8], cœur de Dieu! moi, qu'ai-je à y voir?

D'Ysengrin[9], je ne sais trop quoi dire... C'est vrai qu'il n'a
30 pas tort d'insinuer que j'ai fait l'amour à sa femme... [...]. Cet
idiot est jaloux, c'est tout. Voilà pourquoi il me déteste. Tout
de même, je vous le demande, serait-il juste qu'on me pende
pour cela?

Anonyme, *Le Roman de Renart* [xiie-xiiie siècle], trad. de l'ancien français
par P. Mezinski, Belin-Gallimard, «Classico», 2020.
© Gallimard Jeunesse, 2009.

───────────

1. **Les mauvais larrons**: les mauvaises personnes.
2. **Serfs**: paysans attachés à un seigneur; au sens figuré personnes malhonnêtes.
3. **Exactions**: violences, pillages.
4. **Brun** est un ours.
5. **Tibert** est un chat.
6. **Étrillant**: battant.
7. **Baudet**: âne.
8. **Notoire**: remarquable.
9. **Ysengrin** est un loup.

Jean de la Fontaine, « Le Loup et le Chien »

Le livre I des *Fables* de Jean de la Fontaine (1621-1695) paraît en 1668, sous le règne de Louis XIV. Afin de critiquer le comportement des hommes de son temps sans risquer la censure, le fabuliste met en scène des animaux, à la manière de ses prédécesseurs antiques, Ésope et Phèdre. Il s'interroge ici sur la liberté et la servitude.

Un Loup n'avait que les os et la peau ;
    Tant les Chiens faisaient bonne garde.
Ce Loup rencontre un Dogue[1] aussi puissant que beau,
Gras, poli[2], qui s'était fourvoyé par mégarde[3].
5   L'attaquer, le mettre en quartiers[4],
    Sire Loup l'eût fait volontiers.
    Mais il fallait livrer bataille ;
    Et le Mâtin[5] était de taille
    À se défendre hardiment.
10   Le Loup donc l'aborde humblement,
Entre en propos, et lui fait compliment
    Sur son embonpoint, qu'il admire.
    « Il ne tiendra qu'à vous, beau Sire,
D'être aussi gras que moi, lui repartit le Chien.
15   Quittez les bois, vous ferez bien :
    Vos pareils y sont misérables,
    Cancres, haires, et pauvres diables[6],
Dont la condition est de mourir de faim.
Car quoi ? Rien d'assuré ; point de franche lippée[7] ;
20   Tout à la pointe de l'épée.
Suivez-moi ; vous aurez un bien meilleur destin. »
    Le Loup reprit : « Que me faudra-t-il faire ?

---

1. **Dogue** : gros chien de garde.
2. **Poli** : au poil luisant.
3. **Fourvoyé par mégarde** : perdu, égaré, par erreur.
4. **Le mettre en quartiers** : le mettre en pièces.
5. **Mâtin** : gros chien.
6. **Cancres, haires et pauvres diables** : faibles, miséreux et pauvres gens.
7. **Franche lippée** : bon repas obtenu sans effort.

  – Presque rien, dit le Chien, donner la chasse aux gens
    Portant bâtons, et mendiants ;
25 Flatter ceux du logis, à son Maître complaire ;
    Moyennant quoi votre salaire
  Sera force reliefs[1] de toutes les façons :
    Os de poulets, os de pigeons ;
    Sans parler de mainte caresse[2]. »
30 Le Loup déjà se forge une félicité[3]
    Qui le fait pleurer de tendresse.
    Chemin faisant, il vit le col du Chien pelé[4] :
  « Qu'est-ce là ? lui dit-il. – Rien. – Quoi ? rien ? – Peu de chose.
  – Mais encor ? – Le collier dont je suis attaché
35 De ce que vous voyez est peut-être la cause.
  – Attaché ? dit le Loup ; vous ne courez donc pas
   Où vous voulez ? – Pas toujours, mais qu'importe ?
  – Il importe si bien, que de tous vos repas
    Je ne veux en aucune sorte,
40 Et ne voudrais pas même à ce prix un trésor. »
  Cela dit, maître Loup s'enfuit, et court encor.

Jean de La Fontaine, « Le Loup et le Chien », Fables, I, 5 [1668],
Belin-Gallimard, « Classico », 2012.

---

1. **Force reliefs** : de nombreux restes de nourriture.
2. **De mainte caresse** : des nombreuses caresses.
3. **Se forge une félicité** : s'imagine une vie heureuse.
4. **Pelé** : sans poil.

Victor Hugo, « Fable ou Histoire »

Farouche opposant de Louis Napoléon Bonaparte, Victor Hugo (1802-1885) part en exil sur l'île de Jersey où il compose en 1853 *Les Châtiments*, un recueil de poèmes qui condamnent la tyrannie de Louis Napoléon Bonaparte, devenu l'empereur Napoléon III. Dans ce poème, il le peint sous les traits d'un singe particulièrement violent.

Un jour, maigre et sentant un royal appétit,
Un singe d'une peau de tigre[1] se vêtit.
Le tigre avait été méchant; lui, fut atroce.
Il avait endossé le droit d'être féroce.
5   Il se mit à grincer des dents, criant: Je suis
Le vainqueur des halliers[2], le roi sombre des nuits!
Il s'embusqua, brigand des bois, dans les épines;
Il entassa l'horreur, le meurtre, les rapines[3],
Égorgea les passants, dévasta la forêt,
10   Fit tout ce qu'avait fait la peau qui le couvrait.
Il vivait dans un antre, entouré de carnage.
Chacun, voyant la peau, croyait au personnage.
Il s'écriait, poussant d'affreux rugissements:
Regardez, ma caverne est pleine d'ossements;
15   Devant moi tout recule et frémit, tout émigre,
Tout tremble; admirez-moi, voyez, je suis un tigre!
Les bêtes l'admiraient, et fuyaient à grands pas.
Un belluaire[4] vint, le saisit dans ses bras,
Déchira cette peau comme on déchire un linge,
20   Mit à nu ce vainqueur, et dit: Tu n'es qu'un singe!

Jersey, septembre 1852.

Victor Hugo, « Fable ou Histoire », *Les Châtiments* [1853],
dans *Anthologie poétique*, Belin-Gallimard, « Classico », 2015.

---

1. Allusion à Napoléon Ier, premier empereur des Français, dont Napoléon III est le neveu.
2. **Halliers**: buissons servant de cachette au gibier.
3. **Rapines**: vols.
4. **Belluaire**: dompteur de fauves.

Dino Buzzati, « Les souris »

Dino Buzzati (1906-1972), écrivain et reporter de guerre, a été le témoin des bouleversements de la première moitié du XXᵉ siècle. Dans cette nouvelle, le narrateur se rend tous les étés chez la famille Corio avec laquelle il est ami. La demeure de ces derniers est progressivement envahie par les rats et, d'année en année, ces rongeurs se multiplient et terrorisent les occupants. Giovanni, le père de famille, a peur et préfère ne pas se rebeller.

Groupements de textes

– Vous ne faites donc rien ? Les souricières ? Le poison ? Je ne comprends pas que ton père ne s'occupe pas de…

– Si ! C'est même devenu son cauchemar. Mais il a peur maintenant, lui aussi. Il prétend qu'il vaut mieux ne pas les
5 provoquer, que ce serait pis[1] encore. Il dit que cela ne servirait à rien d'ailleurs, qu'ils sont trop nombreux désormais… Il dit que la seule chose à faire serait de mettre le feu à la baraque… Et puis, et puis tu sais ce qu'il dit ? C'est peut-être idiot, mais il dit qu'il vaut mieux ne pas se mettre trop ouvertement contre
10 eux…

– Contre qui ?

– Contre eux, les rats. Il dit qu'un jour ou l'autre, quand ils seront encore plus nombreux, ils pourraient bien se venger… Je me demande, des fois, si papa n'est pas en train de devenir
15 un peu fou. Est-ce que tu penses qu'un soir je l'ai surpris en train de jeter une grosse saucisse dans la cave ? Un amuse-gueule pour les chères petites bêtes ! Il les déteste mais il les craint. Et il ne veut pas les contrarier.

Cela dura des années. […]

20 Et maintenant ? Pourquoi Giovanni m'a-t-il écrit qu'il ne pouvait plus m'inviter ? Qu'est-il arrivé ? Je sens l'envie me prendre de faire une visite là-bas, quelques minutes à peine suffiraient, pour savoir, rien de plus. Mais, je l'avoue, je n'en ai pas le courage. De plusieurs côtés, on me raconte des choses

---

1. **Pis** : pire.

²⁵ étranges. Étranges à tel point que ceux qui les rapportent en rient comme de fables. Moi, je ne ris pas.

On raconte par exemple que le grand-père et la grand-mère Corio sont morts. On raconte que plus personne ne sort de la maison, et que c'est un homme du village qui apporte
³⁰ les vivres, mais qu'il laisse son paquet à la limite du bois. On raconte que personne ne peut plus entrer dans la maison ; que des rats énormes l'occupent : et que la famille Corio est leur esclave désormais.

Un paysan qui s'est approché – mais pas trop, parce qu'une
³⁵ douzaine de ces sales bêtes s'étaient installées sur le seuil de la maison dans une attitude menaçante – prétend avoir entrevu Mme Elena Corio, la femme de mon ami, cette douce, cette aimable personne. Elle se trouvait à la cuisine, près du feu, vêtue comme une serve. Elle s'affairait près d'un immense
⁴⁰ chaudron, tandis que des grappes entières de rats la harcelaient, avides de manger. Elle semblait très lasse, abattue. En apercevant l'homme, elle lui fit des mains un geste désolé, semblant vouloir dire : « Ne vous frappez pas, c'est trop tard. L'espoir pour nous est mort désormais. »

Dino Buzzati, « Les souris », *L'Écroulement de la Baliverna*,
trad. de l'italien par M. Breitman, Robert Laffont, 1954.
© Robert Laffont.

Charb, « On devrait expérimenter nos médicaments sur des pigeons... »

Charb, de son vrai nom Stéphane Charbonnier, était journaliste et dessinateur pour le journal satirique *Charlie Hebdo* et a été tué lors de l'attentat du 7 janvier 2015 contre ce journal. Dans ce dessin, il dénonce l'utilisation par la science des animaux comme cobayes et pointe du doigt le ridicule et la crédulité de l'homme du XXIe siècle.

Charb, « On devrait expérimenter nos médicaments sur des pigeons... », charliehebdo.fr, juin 2013.

La dénonciation des abus de pouvoir

Alfred Jarry, *Ubu roi*

Premier volet du cycle d'Ubu, cette pièce de théâtre d'Alfred Jarry (1873-1903), considéré comme un précurseur du surréalisme et du théâtre de l'absurde, évoque le renversement du roi de Pologne par le Père Ubu. Poussé par son ignoble épouse, ce personnage se distingue par sa vulgarité, sa lâcheté et sa cruauté, devenant ainsi le modèle de l'usurpateur totalitaire.

Scène 4

PÈRE UBU

Qui de vous est le plus vieux ? *(Un paysan s'avance.)* Comment te nommes-tu ?

LE PAYSAN

Stanislas Leczinski.

PÈRE UBU

Eh bien, cornegidouille[1], écoute-moi bien, sinon ces messieurs
5 te couperont les oreilles. Mais, vas-tu m'écouter enfin ?

STANISLAS

Mais Votre Excellence n'a encore rien dit.

PÈRE UBU

Comment, je parle depuis une heure. Crois-tu que je vienne ici pour prêcher dans le désert[2] ?

---

1. Cornegidouille: juron inventé et répété par Ubu.
2. Prêcher dans le désert: parler pour ne rien dire.

STANISLAS

Loin de moi cette pensée.

PÈRE UBU

10 Je viens donc de te dire, t'ordonner et te signifier que tu aies à produire[1] et exhiber promptement ta finance[2], sinon tu seras massacré. Allons, messeigneurs les salopins[3] de finance, voiturez ici le voiturin[4] à phynances.

On apporte le voiturin.

STANISLAS

Sire, nous ne sommes inscrits sur le registre que pour cent
15 cinquante-deux rixdales[5] que nous avons déjà payées. Il y aura tantôt six semaines à la Saint-Mathieu.

PÈRE UBU

C'est fort possible, mais j'ai changé le gouvernement et j'ai fait mettre dans le journal qu'on paierait deux fois tous les impôts et trois fois ceux qui pourront être désignés ultérieurement.
20 Avec ce système, j'aurai vite fait fortune, alors je tuerai tout le monde et je m'en irai.

PAYSANS

Monsieur Ubu, de grâce, ayez pitié de nous. Nous sommes de pauvres citoyens.

PÈRE UBU

Je m'en fiche. Payez.

PAYSANS

25 Nous ne pouvons, nous avons payé.

---

1. Produire : montrer.
2. Finance : ici, richesse.
3. Salopins : insulte.
4. Voiturin : petit véhicule, ici chargé de transporter les richesses extorquées par Ubu.
5. Rixdales : pièces d'une ancienne monnaie néerlandaise.

PÈRE UBU

Payez! ou je vous mets dans ma poche avec supplice et décollation[1] du cou et de la tête! Cornegidouille, je suis le roi peut-être!

TOUS

Ah, c'est ainsi! Aux armes! Vive Bougrelas[2], par la grâce de
30 Dieu, roi de Pologne et de Lithuanie!

PÈRE UBU

En avant, messieurs des Finances, faites votre devoir.

*Une lutte s'engage, la maison est détruite et le vieux Stanislas
s'enfuit seul à travers la plaine. Ubu reste à ramasser la finance.*

Alfred Jarry, *Ubu roi* [1896], acte III, scène 4,
Gallimard, «Folioplus classiques», 2016.

Jacques Prévert, «L'Ordre nouveau»

Ce poème est extrait du recueil *Paroles* de Jacques Prévert (1900-1977) publié en 1946. Il évoque un meurtre: dans une ville dévastée par la guerre, un assassinat est commis par un homme à la solde d'Hitler.

Le soleil gît sur le sol
Litre de vin rouge brisé
Une maison comme un ivrogne
Sur le pavé s'est écroulée
5 Et sous son porche encore debout
Une jeune fille est allongée
Un homme à genoux près d'elle
Est en train de l'achever
Dans la plaie ou remue le fer

—————

1. Décollation: décapitation.
2. Bougrelas: fils de Vinceslas, roi déchu après la prise de pouvoir d'Ubu, concurrent au trône.

10 Le cœur ne cesse de saigner
Et l'homme pousse un cri de guerre
Comme un absurde cri de paon
Et son cri se perd dans la nuit
Hors la vie hors du temps
15 Et l'homme au visage de poussière
L'homme perdu et abîmé
Se redresse et crie « Heil Hitler ! »
D'une voix désespérée
En face de lui dans les débris
20 D'une boutique calcinée
Le portrait d'un vieillard blême
Le regarde avec bonté
Sur sa manche des étoiles brillent
D'autres aussi sur son képi
25 Comme les étoiles brillent à Noël
Sur les sapins pour les petits
Et l'homme des sections d'assaut
Devant le merveilleux chromo
Soudain se retrouve en famille
30 Au cœur même de l'ordre nouveau
Et remet son poignard dans sa gaine
Et s'en va tout droit devant lui
Automate de l'Europe nouvelle
Détraqué par le mal du pays
35 Adieu adieu Lily Marlène
Et son pas et son chant s'éloignent dans la nuit
Et le portrait du vieillard blême
Au milieu des décombres
Reste seul et sourit
40 Tranquille dans la pénombre
Sénile et sûr de lui.

Jacques Prévert, « L'Ordre nouveau », *Paroles*, Gallimard, 1946.
© Gallimard.

George Orwell, *1984*

Écrivain et journaliste britannique, George Orwell (1903-1950) publie en 1948 ce roman d'anticipation dont il situe l'action à Londres en 1984, trente ans après une guerre nucléaire. À la suite de cette dernière, un régime totalitaire a pris le pouvoir, assurant sa domination par le conditionnement et le contrôle permanents des pensées humaines. Winston Smith est arrêté par la Police de la Pensée, un organisme de répression, pour avoir transgressé la loi. L'officier O'Brien est chargé de sa «rééducation».

«Comment un homme s'assure-t-il de son pouvoir sur un autre, Winston?»

Winston réfléchit:

«En le faisant souffrir, répondit-il.

5   – Exactement. En le faisant souffrir. L'obéissance ne suffit pas. Comment, s'il ne souffre pas, peut-on être certain qu'il obéit, non à sa volonté, mais à la vôtre? Le pouvoir est d'infliger des souffrances et des humiliations. Le pouvoir est de déchirer l'esprit humain en morceaux que l'on ras-

10   semble ensuite sous de nouvelles formes que l'on a choisies. Commencez-vous à voir quelle sorte de monde nous créons? C'est exactement l'opposé des stupides utopies hédonistes[1] qu'avaient imaginées les anciens réformateurs. Un monde de crainte, de trahison, de tourment. Un monde d'écraseurs et

15   d'écrasés, un monde qui, au fur et à mesure qu'il s'affinera, deviendra plus impitoyable. Le progrès dans notre monde sera le progrès vers plus de souffrance. L'ancienne civilisation prétendait être fondée sur l'amour et la justice. La nôtre est fondée sur la haine. Dans notre monde, il n'y aura pas d'autres

20   émotions que la crainte, la rage, le triomphe et l'humiliation. Nous détruirons tout le reste, tout.

Nous écrasons déjà les habitudes de pensée qui ont survécu à la Révolution. Nous avons coupé les liens entre l'enfant et les parents, entre l'homme et l'homme, entre l'homme et la

---

1. Utopies hédonistes: constructions imaginaires de sociétés dont la satisfaction des plaisirs serait le but.

25 femme. Personne n'ose plus se fier à une femme, un enfant
ou un ami. Mais plus tard, il n'y aura ni femme ni ami. Les
enfants seront à leur naissance enlevés aux mères, comme on
enlève leurs œufs aux poules. L'instinct sexuel sera extirpé[1].
La procréation sera une formalité annuelle, comme le renou-
30 vellement de la carte d'alimentation. Nous abolirons l'or-
gasme. Nos neurologistes y travaillent actuellement. Il n'y aura
plus de loyauté qu'envers le Parti, il n'y aura plus d'amour que
l'amour éprouvé pour Big Brother. Il n'y aura plus de rire que
le rire de triomphe provoqué par la défaite d'un ennemi. Il
35 n'y aura ni art, ni littérature, ni science. Quand nous serons
tout-puissants, nous n'aurons plus besoin de science. Il n'y
aura aucune distinction entre la beauté et la laideur. Il n'y
aura ni curiosité, ni joie de vivre. Tous les plaisirs de l'émula-
tion seront détruits. Mais il y aura toujours, n'oubliez pas cela,
40 Winston, il y aura l'ivresse[2] toujours croissante du pouvoir, qui
s'affinera de plus en plus. Il y aura toujours, à chaque instant,
le frisson de la victoire, la sensation de piétiner un ennemi
impuissant. Si vous désirez une image de l'avenir, imaginez
une botte piétinant un visage humain… éternellement. »

George Orwell, *1984* [1949], trad. de l'anglais par A. Audiberti,
Belin-Gallimard, « Classico », 2021.
© Gallimard.

Art Spiegelman, *Maus*

**Dans ce qu'il qualifie de « roman graphique », le dessinateur Art
Spiegelman (né en 1948) raconte la vie de son père Vladek, juif
polonais déporté par les nazis au camp de concentration d'Aus-
chwitz. Chaque catégorie de personnages est représentée par un
animal : les souris sont les juifs victimes des chats nazis, quant aux
cochons, il s'agit des « kapo », prisonniers sélectionnés parmi les
plus violents pour encadrer les autres déportés.**

---

1. Extirpé : anéanti, exterminé.
2. Ivresse : ici, état d'excitation extrême.

Art Spiegelman, *Maus* [1981-1991], tome II, « Et c'est là que mes ennuis ont commencé », trad. de l'anglais par J. Ertel, Flammarion, 1992.

Dai Sijie, *Balzac et la Petite Tailleuse chinoise*

Ce roman de Dai Sijie (auteur franco-chinois né en 1954), raconte l'histoire de deux adolescents à l'époque de la révolution culturelle lancée à partir de 1966 par Mao Zedong, qui détenait alors le pouvoir en Chine. Comme le montre ce texte, cette «révolution» cible essentiellement les intellectuels.

Deux mots sur la rééducation dans la Chine rouge[1], à la fin de l'année 68, le Grand Timonier de la Révolution[2], le président Mao, lança un jour une campagne qui allait changer profondément le pays : les universités furent fermées, et les
5 «jeunes intellectuels», c'est-à-dire les lycéens qui avaient fini leurs études secondaires, furent envoyés à la campagne pour être «rééduqués par les paysans pauvres». (Quelques années plus tard, cette idée sans précédent inspira un autre leader révolutionnaire asiatique, un Cambodgien[3], qui, plus ambi-
10 tieux et plus radical encore, envoya toute la population de la capitale, vieux et jeunes confondus, «à la campagne».)

La vraie raison qui poussa Mao Zedong à prendre cette décision restait obscure : voulait-il en finir avec les Gardes rouges[4], qui commençaient à échapper à son contrôle ? Ou était-ce la
15 fantaisie d'un grand rêveur révolutionnaire, désireux de créer une nouvelle génération ? Personne ne sut jamais répondre à cette question. À l'époque, Luo et moi en discutâmes souvent en cachette, tels deux conspirateurs[5]. Notre conclusion fut la suivante : Mao haïssait les intellectuels. [...]
20 Il était difficile de nous considérer, sans délit d'imposture, comme des intellectuels, d'autant que les connaissances que

---

1. Rouge : communiste (le rouge est la couleur du communisme).
2. Le Grand Timonier de la Révolution : surnom donné à Mao Zedong. Un timonier est une personne en charge de la direction d'un navire, celui qui le dirige.
3. Un Cambodgien : Pol Pot (1928-1998), homme politique qui instaura une dictature au Cambodge en 1976.
4. Gardes rouges : milices à la solde de Mao Zedong, constituées de jeunes gens chargés de traquer les opposants au pouvoir.
5. Conspirateurs : hommes qui préparent secrètement le renversement du pouvoir en place.

nous avions acquises au collège étaient nulles : entre douze et quatorze ans, nous attendîmes que la révolution se calmât, et que rouvrît notre établissement. Mais quand nous y entrâmes
25 enfin, nous fûmes emplis de déception et d'amertume : les cours de mathématiques étaient supprimés, de même que ceux de physique et de chimie, les « connaissances de base » se limitant désormais à l'industrie et à l'agriculture. Sur les couvertures des manuels, on voyait un ouvrier, coiffé d'une
30 casquette, qui brandissait un immense marteau, avec des bras aussi gros que ceux de Stallone[1]. À côté de lui, se tenait une femme communiste déguisée en paysanne, avec un foulard rouge sur la tête. (Une plaisanterie vulgaire, qui circulait alors entre les collégiens, consistait à dire qu'elle s'était entourée la
35 tête de sa serviette hygiénique.) Ces manuels et le Petit Livre Rouge de Mao[2] restèrent, plusieurs années durant, notre seule source de connaissance intellectuelle. Tous les autres livres étaient interdits.

Dai Sijie, *Balzac et la Petite Tailleuse chinoise* [2000],
Belin-Gallimard, « Classico », 2017.
© Gallimard.

Stéphane Hessel, *Indignez-vous !*

Dans ce court essai, l'ancien résistant Stéphane Hessel (1917-2013) défend l'idée que l'indignation est un sentiment qui doit permettre à tout citoyen de refuser la soumission à un système politique ou idéologique.

Je vous souhaite à tous, à chacun d'entre vous, d'avoir votre motif d'indignation. C'est précieux. Quand quelque chose vous indigne comme j'ai été indigné par le nazisme, alors on devient militant, fort et engagé. On rejoint ce courant de l'his-
5 toire et le grand courant de l'histoire doit se poursuivre grâce

---

1. Sylvester Stallone (né en 1946) : acteur américain célèbre pour sa forte musculature et ses rôles dans des films d'action.
2. Le Petit Livre Rouge de Mao : le recueil de citations de Mao Zedong que tous les Chinois devaient avoir et connaître par cœur.

à chacun. Et ce courant va vers plus de justice, plus de liberté mais pas cette liberté incontrôlée du renard dans le poulailler. Ces droits, dont la Déclaration universelle[1] a rédigé le programme en 1948, sont universels. Si vous rencontrez quelqu'un
10 qui n'en bénéficie pas, plaignez-le, aidez-le à les conquérir.

Deux visions de l'histoire

Quand j'essaie de comprendre ce qui a causé le fascisme, qui a fait que nous ayons été envahis par lui et par Vichy, je me dis que les possédants, avec leur égoïsme, ont eu terriblement
15 peur de la révolution bolchévique[2]. Ils se sont laissés guider par leurs peurs. Mais si, aujourd'hui comme alors, une minorité active se dresse, cela suffira, nous aurons le levain[3] pour que la pâte lève. Certes, l'expérience d'un très vieux comme moi, né en 1917, se différencie de l'expérience des jeunes d'au-
20 jourd'hui. Je demande souvent à des professeurs de collège la possibilité d'intervenir auprès de leurs élèves, et je leur dis : vous n'avez pas les mêmes raisons évidentes de vous engager. Pour nous, résister, c'était ne pas accepter l'occupation allemande, la défaite. C'était relativement faible. Simple comme
25 ce qui a suivi, la décolonisation. Puis la guerre d'Algérie. Il fallait que l'Algérie devienne indépendante, c'était évident. Quant à Staline, nous avons tous applaudi à la victoire de l'Armée rouge contre les nazis, en 1943. Mais déjà lorsque nous avions eu connaissance des grands procès staliniens de
30 1935, et même s'il fallait garder une oreille ouverte vers le communisme pour contrebalancer le capitalisme américain, la nécessité de s'opposer à cette forme insupportable de totalitarisme s'était imposée comme une évidence. Ma longue vie m'a donné une succession de raisons de m'indigner.

Stéphane Hessel, *Indignez-vous!*, Indigène éditions, 2010.
© Indigène.

---

1. Le 10 décembre 1948, cinquante-huit États-membres ont adopté la Déclaration universelle des droits de l'homme, qui garantit les libertés individuelles.
2. Révolution bolchévique : révolution russe de 1917 au cours de laquelle le prolétariat se souleva et renversa le régime monarchique du tsar.
3. Levain : sorte de levure utilisée pour la confection du pain.

Questions sur les groupements de textes

■ Des animaux pour critiquer les hommes

1. Recopiez et complétez le tableau suivant : pour chacun des textes ainsi que pour le dessin de presse, identifiez la cible de la critique et les reproches que lui adresse l'auteur.

Cible de la critique	Reproches

2. En quoi l'utilisation des animaux facilite-t-elle, selon vous, la critique de l'homme ?

3. Sur des sites Internet comme **www.cartooningforpeace.org**, recherchez des dessins de presse qui mettent en valeur un défaut de l'homme moderne à travers la représentation d'un animal. Présentez à vos camarades le résultat de votre recherche en précisant les intentions de l'artiste et les raisons de votre choix.

■ La dénonciation des abus de pouvoir

1. Quel type de pouvoir ou de régime politique est dénoncé dans chaque texte ?

2. Grâce à quels procédés (figures de style, champ lexical, objets ou éléments symboliques) ces différents supports représentent-ils l'abus de pouvoir ?

Autour de l'œuvre

Interview imaginaire de George Orwell

▶▶▶ *Pourriez-vous vous présenter à nos lecteurs et nous parler de votre jeunesse ?*

Je m'appelle Eric Arthur Blair et je suis né le 25 juin 1903 à Motihari, dans l'ancienne province du Bengale administrée par l'Empire britannique. Mon père y était fonctionnaire de l'administration des Indes. Rentré en Angleterre avec ma mère, j'ai été scolarisé dans un affreux pensionnat, dont je garde un très mauvais souvenir, malgré mes excellents résultats scolaires. Grâce à ces derniers, j'ai obtenu une bourse et poursuivi mes études dans une

George Orwell (1903-1950)

des *public schools* les plus réputées du pays. À cette époque, je rêvais déjà de devenir un écrivain célèbre et j'aspirais à retourner en Orient.

▶▶ *Qu'avez-vous fait pour que vos rêves se réalisent ?*

En 1922, je me suis engagé dans la police impériale avec laquelle je me suis rendu en Birmanie. Cette expérience s'est révélée être une grande déception et j'ai passé le plus clair de mon temps à lire pour oublier mon ennui et le dégoût que m'inspirait l'impérialisme britannique. J'ai démissionné cinq ans plus tard pour rentrer en Angleterre et me consacrer à ma véritable passion : l'écriture.

▶▶ *Comment se sont passés les débuts de votre carrière littéraire ?*

J'ai d'abord composé quelques poèmes et nouvelles puis, après quelques années d'errance où j'ai côtoyé les classes les plus pauvres, j'ai finalement accepté un poste d'enseignant en 1929. Cette profession qui ne me passionnait pas vraiment m'a toutefois donné le temps d'achever le récit *Dans la dèche à Paris et à Londres* qui parut en 1933 sous mon pseudonyme, George Orwell. Malgré un bel accueil de la critique, les ventes n'ont pas été nombreuses...

▶▶ *Vous êtes donc devenu un écrivain engagé politiquement ?*

En effet, mon expérience auprès des plus pauvres et des classes laborieuses m'a fait constater leur misère et l'injustice sociale dont ils sont victimes. Cela m'a conduit à adhérer à la cause socialiste. J'ai d'ailleurs rassemblé mes observations sur les ouvriers miniers du nord de l'Angleterre dans un documentaire, *Le Quai de Wigan* en 1937.

▶▶ *Pourquoi votre épouse et vous vous êtes-vous rendus en Espagne en 1936 ?*

La guerre civile faisait rage entre les républicains et les partisans du général Franco. Je souhaitais non seulement me rapprocher des événements pour les décrire en tant que journaliste, mais aussi combattre avec les milices du POUM (Parti ouvrier d'unification marxiste) pour lutter contre la dictature franquiste.

▶▶▶ *Il semble que les théories de Karl Marx et la cause du prolétariat vous ont particulièrement tenu à cœur ?*

En effet, Marx proposait un modèle de société qui me semblait plus juste que celui du capitalisme, où les prolétaires (des salariés aux revenus très modestes) sont exploités par les dirigeants. Dans ce modèle, les terres et les moyens de production étaient mis en commun pour que le travail de chacun profite à tous. C'est cette idée qui est à l'origine du communisme. Malheureusement, beaucoup l'ont détournée pour la pousser à l'extrême ou pour créer un système d'oppression, comme le fit Staline en URSS.

▶▶▶ *Comment avez-vous combattu le totalitarisme ?*

Réformé en raison de ma mauvaise santé (j'avais de fréquentes pneumonies), je n'ai pas pu combattre auprès des troupes armées pendant la Seconde Guerre mondiale. Mais j'ai utilisé ma plume en tant que journaliste et auteur et j'ai produit des émissions culturelles pour la BBC. Cependant, c'est surtout la rédaction de *La Ferme des animaux*, entamée en 1943, qui m'a permis d'exprimer une critique sévère du régime totalitaire de Staline, mais aussi de toute forme d'oppression.

▶▶▶ *Pourquoi avoir choisi de traiter ce sujet en utilisant la forme d'une fable animalière ?*

La forme de ce récit s'est imposée à moi. C'est ce que j'ai expliqué dans la préface à l'édition ukrainienne de *La Ferme des animaux* en 1947 : « je vivais dans un petit village et le jour où je vis un petit garçon d'une dizaine d'années qui menait un énorme cheval de trait le long d'un étroit sentier, le fouettant chaque fois qu'il tentait un écart. L'idée m'a frappé que si de tels animaux prenaient conscience de leur force, nous n'aurions plus aucun pouvoir sur eux, et que les hommes exploitaient des animaux à peu près comme les riches exploitent le prolétariat. J'entrepris de considérer la théorie marxiste du point de vue des animaux ».

▶▶ *Diriez-vous que* **La Ferme des animaux** *a été votre plus grand succès ?*

C'est indéniablement une des deux œuvres qui ont connu le plus de succès avec *1984*, un roman d'anticipation dans lequel j'ai approfondi ma critique du totalitarisme. Paru en 1949, ce fut mon dernier succès, puisque je mourus le 21 janvier 1950 de la tuberculose.

Contexte historique et culturel

Une période marquée par les conflits

La première moitié du xxᵉ siècle est particulièrement marquée par la guerre et les conflits politiques à l'échelle internationale. Alors que la Première Guerre mondiale (1914-1918) est en passe de s'achever par la victoire des Alliés (France, Empire britannique, États-Unis et Empire russe), la révolution russe éclate en 1917 et conduit au renversement du régime tsariste, à la prise de pouvoir des bolcheviks et à l'installation du communisme sous la présidence de Vladimir Illitch Lénine (1870-1924). Joseph Staline (1878-1953) lui succède en 1922, devenant le « Guide » de l'URSS : Union des républiques socialistes soviétiques.

À partir de 1936, la guerre civile d'Espagne oppose les républicains aux nationalistes du général Franco (1892-1975) et s'achève par la victoire de ce dernier.

La misère du monde ouvrier

Une crise économique sans précédent frappe le monde dans les années 1930, et affecte particulièrement les régions minières du nord de l'Angleterre. George Orwell réalise en 1936 une enquête sur les conditions de vie des chômeurs et découvre également la dureté du travail des ouvriers miniers, dont les salaires sont très faibles. Séduit par la théorie du philosophe allemand Karl Marx (1818-1883), selon laquelle le capital produit par les hommes doit leur revenir en parts égales, l'écrivain adhère aux idées socialistes. Dans *La Ferme des animaux*, il fustige l'exploitation du peuple par des propriétaires avides de profit.

La montée du totalitarisme en Europe

Durant l'entre-deux-guerres, l'Europe assiste au fleurissement des régimes totalitaires : après Lénine puis Staline en URSS, Benito Mussolini (1883-1945) prend le pouvoir en Italie avec son parti fasciste, en Allemagne Adolf Hitler (1889-1945) prend la tête du gouvernement nazi en devenant chancelier du Reich en 1933, et les deux hommes soutiennent le général (et futur dictateur) Francisco Franco en Espagne. En parallèle, au Portugal, António Salazar (1889-1970) prend la tête, dès 1932, du régime autoritaire de l'*Estado Novo*.

Bien qu'ils reposent sur des idéologies différentes, ces régimes présentent de nombreux points communs. Le pouvoir est aux mains d'un parti unique, à la tête duquel se trouve une figure emblématique dont la personnalité devient l'objet d'un culte. Toute tentative de contestation est enrayée par la surveillance et la répression violente, ainsi que par la propagande qui manipule les esprits pour les soumettre. Tous les «ingrédients» qui permettent aux régimes totalitaires de se maintenir sont exploités par les cochons dans *La Ferme des animaux*.

Adolf Hitler et Joseph Staline se partageant le monde, caricature du journal *La Bataille politique et littéraire*, 1947.

Le choc de la Seconde Guerre mondiale

C'est dans ce contexte qu'éclate la Seconde Guerre mondiale en 1939. À la suite de l'invasion de la Pologne par les armées nazies, le Royaume-Uni et la France déclarent la guerre à l'Allemagne. Ce conflit planétaire opposa les forces alliées (France et Royaume-Uni, rejoints par l'URSS et les États-Unis en 1941) à celles dites de l'Axe (Allemagne, Italie et empire du Japon) jusqu'en 1945. La fin de la guerre n'entraîne pas nécessairement la chute des régimes totalitaires. En effet, Staline restera au pouvoir jusqu'à sa mort en 1953.

L'engagement des écrivains

Les deux conflits mondiaux, les guerres civiles et la violence qui frappe l'Europe et le monde en cette première moitié de xxe siècle conduisent les artistes à s'interroger sur l'avenir de l'Homme. Se développent alors les récits d'anticipation (à l'image du *Meilleur des mondes* d'Aldous Huxley, publié en 1932, ou de *1984* de George Orwell, publié en 1949) dont les auteurs projettent dans un futur faussement lointain les problèmes de leur temps.

D'autres œuvres, construites sur le principe de la fable, mettent en scène des animaux pour critiquer les dérives du siècle. Dans *La Peste* (1947), Albert Camus fait d'une épidémie véhiculée par les rats l'image de l'expansion du nazisme. Dans *Rhinocéros,* pièce de théâtre de 1959, Ionesco fait la satire du caractère manipulable de l'homme confronté à la montée d'une idéologie. Avec *La Ferme des animaux,* c'est tout système totalitaire, et notamment le système stalinien, que George Orwell dénonce et condamne.

Repères chronologiques

1903	Naissance d'Eric Blair le 25 juin au Bengale (ancienne colonie de l'Empire britannique située en Inde).
1914-1918	**Première Guerre mondiale.**
1917	**Révolution russe.**
1922	**Accession au pouvoir de Mussolini en Italie.**
1924	**Staline à la tête du gouvernement de l'URSS.**
1932	Aldous Huxley, *Le Meilleur des mondes*.
1933	**Accession au pouvoir d'Hitler en Allemagne.** *Dans la dèche à Paris et à Londres*, première parution sous le pseudonyme de George Orwell, récit de plusieurs années d'errance et de pauvreté.
1936-1939	**Guerre civile d'Espagne.**
1937	*Le Quai de Wigan*, documentaire réalisé par George Orwell sur le chômage dans le Nord de l'Angleterre.
1939	**Le général Franco prend le pouvoir en Espagne.**
1939-1945	**Seconde Guerre mondiale.**
1943	René Barjavel, *Ravage*.
1945	**Signature des accords de Yalta.** George Orwell, *La Ferme des animaux*.
1947	Albert Camus, *La Peste*.
1949	George Orwell, *1984*.
1950	Mort de George Orwell, le 21 janvier.
1953	Ray Bradbury, *Fahrenheit 451*.
1959	Eugène Ionesco, *Rhinocéros*.

Autour de l'œuvre

Les grands thèmes de l'œuvre

Du rêve à la révolution

Sage l'Ancien et l'idéal d'un monde meilleur

Dès le début du roman, Sage l'Ancien prend la parole pour partager avec ses «camarades» (terme employé par les communistes pour s'adresser les uns aux autres), son rêve d'une ferme débarrassée de la tyrannie humaine et dans laquelle tous les animaux seraient égaux. Le lecteur averti reconnaît dans ce discours la théorie de Karl Marx (1818-1883) dans son *Manifeste du parti communiste* (1848): selon lui, la bourgeoisie qui possède les richesses et détient les moyens de production exploite le prolétariat qui ne récolte pas les fruits de son travail. Le récit de *La Ferme des animaux* retranscrit cette inégalité, à l'échelle de la ferme, entre les hommes et les bêtes: «L'Homme est la seule créature qui consomme sans produire» (chap. 1, p. 13).

Les étapes de la révolution

Prenant appui sur la théorie de Sage l'Ancien, les animaux emmenés par les cochons élaborent un véritable système de pensée, l'Animalisme («un système philosophique sans faille», chap. 2, p. 22). Ce nom rappelle ironiquement l'humanisme, courant culturel de la Renaissance dont l'objectif était de replacer l'Homme au centre des questionnements philosophiques, politiques ou religieux. Grâce aux réunions secrètes des animaux, les idées révolutionnaires se répandent dans la ferme et conduisent au Soulèvement (chap. 2, p. 24). S'ensuit la mise en place d'une société nouvelle, débarrassée de l'oppression humaine: un système démocratique est établi, reposant sur des décisions prises par tous, en «assemblée plénière» (chap. 3, p. 28). La ferme devient une propriété commune et les vivres sont équitablement répartis, bien que les cochons adoptent un comportement suspect dès les chapitres 3 et 4.

Une allégorie politique

Le lecteur peut voir, derrière la révolte des animaux, la révolution russe de 1917 : Mr. Jones représenterait ainsi Nicolas II, le tsar chassé par le peuple opprimé. La période démocratique qui suit, fragilisée par la bataille de l'Étable au chapitre 4 (p. 49-53), rappelle le conflit entre l'armée rouge, communiste, et les armées blanches, contre-révolutionnaires, qui entraîna une guerre civile entre 1917 et 1922. Quant aux disputes entre Boule de Neige et Napoléon à partir du chapitre 5 : « tout sujet prêtant à contestation les opposait » (p. 57), elles évoquent les désaccords entre les deux figures majeures du régime bolchevik, Léon Trotski (1879-1940) et Joseph Staline. Toute la suite du roman symbolise ainsi la plongée progressive de l'URSS dans le totalitarisme.

La dénonciation du totalitarisme

De la démocratie à la dictature

La ferme des animaux met en scène deux régimes tyranniques : d'abord celui du fermier Jones, alcoolique qui néglige ses bêtes et les tue dès qu'il peut en tirer du profit, puis celui de Napoléon, dont la domination est d'autant plus sournoise qu'elle repose sur un choix prétendument libre des animaux. Cette dictature se met progressivement en place. Les cochons, qui se faisaient d'abord les porte-parole des animaux, prennent le commandement de la ferme. Ils s'octroient des privilèges, comme le lait et les pommes, et se dispensent de travail au motif que leur intelligence supérieure les rend plus aptes à la direction des opérations. Napoléon et Boule de Neige, étant les seuls à faire des propositions pour améliorer les conditions de vie de la communauté, deviennent des rivaux politiques jusqu'au coup d'État de Napoléon au chapitre 5 (p. 61-62).

Le pouvoir aux mains d'un seul

Napoléon chasse son ennemi par la force et prend seul le pouvoir, abolissant les assemblées et faisant régner la terreur. Toute tentative d'opposition est violemment réprimée. Une fois encore, cette dictature du chef suprême, débarrassé de son rival et asseyant son autorité sur la répression de toute forme de contestation, n'est pas sans rappeler l'accession au pouvoir de Staline. Celui-ci devint secrétaire général du Parti communiste de l'URSS en 1922, s'appropria progressivement le contrôle de l'État et évinça son rival Trotski qu'il fit exiler en 1929. Les chiens au service de Napoléon s'apparentent aux polices politiques soviétiques de la Tcheka ou du NKVD, et la série d'exécutions du chapitre 7 (p. 84-85) aux grandes purges qui permirent à Staline de se débarrasser de ses derniers opposants, au moment des procès de Moscou (1936-1938).

Propagande et culte de la personnalité

Comme Staline et tous les grands dictateurs de la première moitié du xxᵉ siècle, Napoléon assoit son pouvoir grâce à une solide propagande dirigée par Brille-Babil. Cette dernière a pour but de faire accepter les mesures prises par le chef et de contrer toute opposition par la menace d'un retour de Mr. Jones ou encore la désignation de Boule de Neige comme ennemi public. Le mensonge et la désinformation sont au cœur de la propagande des cochons. L'Histoire est peu à peu réécrite, tant et si bien que parmi les animaux du chapitre 10 (p. 126), seul le sceptique Benjamin se souvient de la vérité. Cette transformation du passé se fait toujours à l'avantage de Napoléon et développe ainsi le culte de la personnalité du chef suprême. Au chapitre 8, le portrait de Napoléon est peint en frontispice de la ferme, ce dernier est célébré par des artistes comme le poète Minimus et glorifié par l'ensemble des animaux qui l'affublent de titres élogieux (« Père de tous les Animaux », « Protecteur de la Bergerie », p. 98), tout comme Staline était qualifié de « Père des Peuples » et Hitler de « Guide » (*Führer*).

Ironie et absurdité

Toute l'ironie du récit repose sur le retour à la situation de départ. Au chapitre 10, les cochons, debout sur leurs pattes arrière, scellent des accords commerciaux avec les hommes desquels on ne parvient plus à les distinguer. Au lieu de déboucher sur un monde meilleur, la révolte n'a fait que conduire à une autre forme de tyrannie, pire que la précédente. L'ironie du narrateur est par ailleurs sensible tout au long du récit, à travers une fausse naïveté semblable à celle qui caractérise les animaux très facilement manipulables (à propos de la prétendue trahison de Boule de Neige : « Cette nouvelle-là, comme d'autres avant elle, laissa les animaux abasourdis, mais bientôt Brille-Babil sut les convaincre que leur mémoire était en défaut », chap. 8, p. 102). Par ces procédés, le narrateur souligne l'absurdité de la situation des animaux. Il invite le lecteur à réfléchir à la crédulité des peuples opprimés et aux dispositifs (comme la démagogie) dont usent les régimes totalitaires afin de les soumettre.

L'épreuve de français du Brevet se compose de deux parties. La première est consacrée à l'analyse et à l'interprétation d'un texte littéraire et d'une image portant sur le même thème, et comporte un exercice de réécriture. La seconde contient une dictée et un travail de rédaction.

Partie I **Analyse et interprétation d'un texte et d'une image, réécriture** (1 h 10, 25 points)

A. Texte littéraire

George Orwell, *La Ferme des animaux* (1945)

La Ferme des animaux est une fable animalière dans laquelle la parole est donnée aux animaux. Affranchis de la domination humaine après avoir expulsé le propriétaire de leur ferme, ces derniers travaillent dur à son exploitation, sous la direction des cochons et du plus charismatique d'entre eux, Napoléon.

S'il fallait souffrir bien des épreuves, on en était en partie dédommagé car on vivait bien plus dignement qu'autrefois. Et il y avait plus de chants, plus de discours, plus de défilés. Napoléon avait

ordonné une Manifestation Spontanée hebdomadaire, avec pour
5   objet de célébrer les luttes et triomphes de la Ferme des Animaux.
À l'heure convenue, tous quittaient le travail, et marchaient au pas
cadencé, autour du domaine, une-deux, une-deux, et en formation
militaire. Les cochons allaient devant, puis c'étaient, dans l'ordre, les
chevaux, les vaches, les moutons, enfin la menue volaille. Les chiens
10 se tenaient en serre-file. Tout en tête du cortège avançait le petit coq
noir. À eux deux Malabar et Douce[1] portaient haut une bannière
verte frappée de la corne et du sabot, avec cette inscription : « Vive
le camarade Napoléon ! » Après quoi étaient récités des poèmes en
l'honneur de Napoléon, puis Brille-Babil[2] prononçait un discours
15 nourri des dernières nouvelles faisant état d'une production accrue
en biens de consommation, et de temps en temps on tirait un coup
de fusil. À ces Manifestations Spontanées, les moutons prenaient part
avec une ferveur[3] inégalée. Quelque animal venait-il à se plaindre
(comme il arrivait à des audacieux, loin des cochons et des chiens)
20 que tout cela était perte de temps et qu'ils faisaient le pied de grue[4]
dans le froid, les moutons chaque fois leur imposaient silence, de
leurs bêlements formidables entonnant le mot d'ordre : *Quatrepattes,
oui ! Deuxpattes, non !* Mais, à tout prendre, les animaux trouvaient
plaisir à ces célébrations. Ils étaient confortés dans l'idée d'être
25 leurs propres maîtres, après tout, et ainsi d'œuvrer à leur propre
bien. Ainsi, grâce aux chants et défilés, et aux chiffres et sommes
de Brille-Babil, et au fusil qui tonne et aux cocoricos du coquelet et
au drapeau au vent, ils pouvaient oublier, un temps, qu'ils avaient
le ventre creux.
30   En avril, la Ferme des Animaux fut proclamée République et l'on
dut élire un président. Il n'y eut qu'un candidat, Napoléon, qui fut
unanimement plébiscité[5]. Ce même jour, on apprit que la collusion[6]

---

1. **Malabar et Douce** : chevaux de la ferme.
2. **Brille-Babil** : cochon chef de la propagande des dirigeants.
3. **Ferveur** : enthousiasme.
4. **Faisaient le pied de grue** : restaient statiques, attendaient debout.
5. **Plébiscité** : élu à une large majorité.
6. **Collusion** : complot.

de Boule de Neige[1] avec Jones[2] était étayée[3] sur des preuves nouvelles. Lors de la bataille de l'Étable, Boule de Neige ne s'en était
35 pas tenu, comme les animaux l'avaient cru d'abord, à tenter de les
conduire à leur perte au moyen d'un stratagème. Non, Boule de
Neige avait ouvertement combattu dans les rangs de Jones. De fait,
c'était lui qui avait pris la tête des forces humaines, et il était monté
à l'assaut au cri de «Vive l'Humanité!». Et ces blessures à l'échine
40 que quelques animaux se rappelaient lui avoir vues, elles lui avaient
été infligées des dents de Napoléon.

George Orwell, *La Ferme des animaux*, chap. 9 [1945],
trad. de l'anglais par J. Quéval, Gallimard, 1981.

B. Image

Parade sportive à Leningrad, juin 1935.

---

1. **Boule de Neige** : cochon ayant pris part à la révolution puis chassé par Napoléon.
2. **Jones** : ancien propriétaire de la ferme, chassé par les animaux.
3. **Étayée** : appuyée.

• **Sur le texte littéraire** (document A)

1. En quoi consiste la «Manifestation Spontanée hebdomadaire» voulue par Napoléon? Précisez-en les différentes étapes. **(2 points)**

2. Quelles remarques pouvez-vous faire sur l'ordre dans lequel défilent les différentes espèces animales? **(1 point)**

3. Quels reproches certains animaux font-ils à cette cérémonie? Quels animaux s'opposent à eux et de quelle manière? **(2 points)**

4. «Ainsi, grâce aux chants et défilés, et aux chiffres et sommes de Brille-Babil, et au fusil qui tonne et aux cocoricos du coquelet et au drapeau au vent, ils pouvaient oublier, un temps, qu'ils avaient le ventre creux» (lignes 26-29):
– Quelle est la figure de style employée dans cette phrase? **(1 point)**
– Que met-elle en valeur? **(1 point)**
– De quelle manière cette phrase traduit-elle l'ironie de son auteur? **(1 point)**

5. «Il n'y eut qu'un candidat, Napoléon, qui fut <u>unanimement</u> plébiscité» (lignes 31-32):
– Comment le mot souligné est-il construit? **(1 point)**
– Que signifie-t-il? **(1 point)**
– Que peut-on en déduire sur l'élection de Napoléon? **(1 point)**

6. Comment le personnage de Boule de Neige est-il présenté aux animaux de la Ferme? En vous appuyant sur le dernier paragraphe, expliquez quels sentiments les cochons cherchent à éveiller chez les animaux à l'égard de Boule de Neige et à l'égard de Napoléon. **(2 points)**

7. Le régime politique auquel les personnages sont soumis vous semble-t-il être une véritable «République»? Justifiez votre réponse en vous aidant de l'ensemble du texte. **(2 points)**

8. Proposez un titre pour ce texte puis expliquez vos intentions et ce qui justifie votre proposition. **(2 points)**

Vers l'écrit du Brevet

• Sur le texte littéraire et l'image (documents A et B)

9. Quels sont les éléments qui rapprochent le texte de l'image ? **(2 points)**

10. Quelles impressions suscite en vous cette photographie ? Sont-elles comparables à celles produites par le texte ? Pourquoi ? **(1 point)**

■ *Réécriture* (10 min, 5 points)

« Lors de la bataille de l'Étable, Boule de Neige ne s'en était pas tenu, comme les animaux l'avaient cru d'abord, à tenter de les conduire à leur perte au moyen d'un stratagème. Non, Boule de Neige avait ouvertement combattu dans les rangs de Jones. »

Réécrivez ce passage en remplaçant « Boule de Neige » par « les traîtres » et effectuez toutes les transformations nécessaires.

Partie II Rédaction et maîtrise de la langue
(1 h 50, 25 points)

■ *Dictée* (20 min, 5 points)

Votre professeur vous dictera un extrait de *La Ferme des animaux* de George Orwell, de « Il y avait bien plus de bouches à nourrir... » à « le dimanche, un ruban vert à la queue », pages 112-113.
On inscrira au tableau de manière lisible par l'ensemble des candidats : pie, George Orwell, *La Ferme des animaux*, 1945.

■ *Travail d'écriture* (1 heure 30, 20 points)

Vous traiterez au choix le sujet A ou B.

• Sujet A

Selon vous, est-il important que la littérature fasse écho aux grands
événements historiques ?
Vous répondrez à cette question dans un développement argumenté
en vous appuyant sur vos lectures, votre culture personnelle
et les connaissances acquises dans l'ensemble des disciplines.
Votre rédaction sera d'une longueur minimale d'une soixantaine
de lignes (300 mots environ).

• Sujet B

Imaginez un dialogue entre un animal contestataire, qui remet en cause
la dictature de Napoléon, et Brille-Babil, qui en justifie le bien-fondé.
Votre texte argumentatif respectera les caractéristiques du dialogue.
Votre rédaction sera d'une longueur minimale d'une soixantaine
de lignes (300 mots environ).

Fenêtres sur...

 ## Des ouvrages à lire

Apologues animaliers

• Eugène Ionesco, « Rhinocéros », dans *La photo du colonel*, Gallimard, « L'imaginaire », 1962.
Cette nouvelle d'Eugène Ionesco, que l'auteur adaptera ensuite en pièce de théâtre, relate la transformation progressive de la population en rhinocéros, image de la contagion idéologique qui constitue la base de tout régime totalitaire.

• Art Spiegelman, *Maus*, trad. de l'anglais par J. Ertel, Flammarion, 1986-1991.
Ce roman graphique retrace la vie de Vladek Spiegelman, le père de l'auteur, un Polonais d'origine juive et survivant de la Shoah. Les Allemands nazis sont représentés par des chats et leurs victimes juives par des souris.

• Franck Pavloff, *Matin brun*, Éditions Cheyne, 1998.
Le narrateur de cette nouvelle assiste, impuissant, à la radicalisation des mesures prises par l'État brun à l'égard des animaux non bruns et de leurs propriétaires. Image du développement de l'idéologie nazie et de ses absurdes lois antisémites, la nouvelle pousse chacun d'entre nous à s'interroger : et nous, qu'aurions-nous fait ?

Utopies et contre-utopies

• Aldous Huxley, *Le Meilleur des mondes* [1932], trad. de l'anglais par J. Castier, Pocket, 2002.
Dans ce roman d'anticipation, Aldous Huxley imagine un monde où les enfants sont fabriqués à la chaîne par manipulation génétique, où l'histoire n'est plus enseignée et où la population est divisée en castes supérieures ou inférieures.

• George Orwell, *1984* [1949], trad. de l'anglais par A. Audiberti, Belin-Gallimard, « Classico », 2021.
Avec ce roman de science-fiction, l'auteur imagine le monde une quarantaine d'années après la Seconde guerre mondiale. Après une série de guerres nucléaires dans les années 1950, la civilisation est désormais divisée en trois grands blocs gouvernés par des régimes totalitaires qui manipulent le peuple en exerçant sur lui un contrôle et une surveillance extrêmes : « Big Brother is watching you ».

• Ray Bradbury, *Fahrenheit 451* [1953], trad. de l'anglais par J. Chambon et H. Robillot, Belin-Gallimard, « Classico », 2018.
Dans ce roman de science-fiction, Ray Bradbury décrit une société dans laquelle la lecture est interdite. Le seul moyen d'accéder à la culture et à l'information est la télévision, contrôlée par le gouvernement. À cela s'ajoute la prolifération des objets technologiques qui contribuent à abêtir le peuple, de plus en plus limité intellectuellement, et donc facilement manipulable...

• Pierre Boulle, *La Planète des singes* [1963], Pocket, 2001.
Ce roman de science-fiction raconte l'exploration d'une planète lointaine, semblable à la planète Terre, sur laquelle les grands singes, évolués et intelligents, dominent les hommes réduits à l'état d'esclaves ou d'animaux domestiques.

🎬 Des films à voir

(Les œuvres citées ci-dessous sont disponibles en DVD ou en VOD.)

• **Sergueï Eisenstein**, *Octobre*, 1928, long-métrage en noir et blanc.
Ce film de propagande soviétique fut commandé à l'occasion du dixième anniversaire de la révolution bolchévique d'octobre 1917 en Russie. À l'origine muet, ce film fut sonorisé en 1967.

• **John Halas et Joy Batchelor**, *La Ferme des animaux*, 1954, long-métrage d'animation en couleurs.
Ce film d'animation, le premier de l'histoire à être distribué en salles, est une adaptation fidèle du roman de George Orwell. Son atmosphère sombre et plusieurs scènes violentes (comme la mort de Malabar) l'opposent aux productions joyeuses et colorées des studios Disney, qui connaissent à l'époque un vif succès.

• **John Stephenson**, *La Ferme des animaux*, 1999, téléfilm en couleurs.
Ce téléfilm américain, récompensé par le prix du Meilleur téléfilm aux Genesis Awards en 2000, est une adaptation fidèle du roman de George Orwell.

@ Un site Internet à consulter

• **http://expositions.bnf.fr/utopie/index.htm**
Une exposition virtuelle complète consacrée aux sources de l'utopie dans l'art et la littérature et à son évolution dans le temps jusqu'aux contre-utopies du xxe siècle.

Cet ouvrage a été composé par Palimpseste à Paris.
Iconographie : Any-Claude Médioni.

La pâte à papier utilisée pour la fabrication du papier de cet ouvrage provient de forêts certifiées et gérées durablement.

Imprimé en Espagne par Novoprint
Dépôt légal : août 2016 – N° d'édition : 70119674-09/mai 2023